KB095469

NEW
서울대 선정
인문고전
60선

40
최한기 기학

NEW 서울대 선정 인문 고전 40

만화 최한기 기학

개정 1판 1쇄 발행 | 2019. 8. 21
개정 1판 3쇄 발행 | 2025. 1. 11

구태환 글 | 이주한 그림 | 손영운 기획

발행처 김영사 | 발행인 박강휘
등록번호 제 406-2003-036호 | 등록일자 1979. 5. 17.
주소 경기도 파주시 문발로 197 (우10881)
전화 마케팅부 031-955-3100 | 편집부 031-955-3113~20 | 팩스 031-955-3111

값은 표지에 있습니다.
ISBN 978-89-349-9465-7
ISBN 978-89-349-9425-1(세트)

좋은 독자가 좋은 책을 만듭니다. 김영사는 독자 여러분의 의견에 항상 귀 기울이고 있습니다.
전자우편 book@gimmyoung.com | 홈페이지 www.gimmyoung.com

이 도서의 국립중앙도서관 출판예정도서목록(CIP)은 서지정보유통지원시스템 홈페이지(http://seoji.nl.go.kr)와
국가자료종합목록시스템(http://www.nl.go.kr/kolisnet)에서 이용하실 수 있습니다. (CIP제어번호 : CIP2018042962)

|어린이제품 안전특별법에 의한 표시사항| **제품명** 도서 **제조년월일** 2025년 1월 11일
제조사명 김영사 **주소** 10881 경기도 파주시 문발로 197 **전화번호** 031-955-3100 **제조국명** 대한민국
사용 연령 10세 이상 ⚠**주의** 책 모서리에 찍히거나 책장에 베이지 않게 조심하세요.

미래의 글로벌 리더들이 꼭 읽어야 할 인문고전을 만화로 만나다
NEW
서울대 선정
인문고전
60선
40
최한기 기학
구태환 글 · 이주한 그림

기

주니어김영사

| 기획에 부쳐 |

〈NEW 서울대 선정 인문고전60〉이 국민 만화책이 되기를 바라며

제가 대여섯 살 때 동네 골목 어귀에 어린이들에게 만화책을 빌려주는 좌판 만화 대여소가 있었습니다. 땅바닥에 두터운 검정 비닐을 깔고 그 위에 아이들이 좋아하는 만화책을 늘어놓았는데, 1원을 내면 낡은 만화책 한 권을 빌릴 수 있었지요. 저는 그곳에서 만화책을 보면서 한글을 깨쳤고 책과의 인연을 맺었습니다.

초등학교 때는 용돈을 아껴서 책을 사서 읽었고, 중학교 때는 학교 도서 반장을 맡아 도서관에서 매일 밤 10시까지 있으면서 참 많은 책을 읽었습니다. 그 무렵 헤밍웨이의《노인과 바다》를 손에 땀을 쥐며 읽으면서 인생에 대해 고민했고, 헤르만 헤세의《수레바퀴 아래서》를 읽으며 사춘기의 심란한 마음을 달랬습니다. 김래성의《청춘 극장》을 밤새워 읽는 바람에 다음 날 치르는 중간고사를 망치기도 했습니다.

당시 저의 꿈은 아주 큰 도서관을 운영하는 사람이 되어 온종일 책을 보면서 책을 쓰는 작가가 되는 것이었습니다. 나이가 들고 어느 정도 바라는 꿈을 이루었습니다. 큰 도서관은 아니지만 적당한 크기의 서점을 운영하고, 글을 쓰는 작가가 되었거든요. 저는 여기에 새로운 꿈을 하나 더 보탰습니다. 그것은 즐거운 마음과 힘찬 꿈을 가지게 해 주고, 나아가 자기 성찰을 도와주는 좋은 만화책을 만드는 일이었습니다. 이렇게 해서 만든 책이 바로 〈서울대 선정 인문고전〉입니다. 서울대학교 교수님들이 신입생과 청소년들이 꼭 읽어야 할 책으로 추천한 도서들 중에서 따로 60권을 골라 만화로 만든 것입니다. 인류 지성사의 금자탑이라고 할 수 있는 고전을 보기 편하고 이해하기 쉽도록 만화책으로 만드는 일은 쉬운 일은 아니었습니다. 약 4년 동안에 수십 명의 학교 선생님들과 전공 학자들이 원서의 내용을 정확하게 전달할 수 있도록 밑글을 쓰고, 수십 명의 만화가들이 고민에 고민을 거듭하면서 만화를 그려 60권의 책을 만들었습니다.

〈서울대 선정 인문고전〉이 완간되었을 무렵에 우리나라에 인문학 읽기 열풍이 불기 시작했습니다. 〈서울대 선정 인문고전〉은 인문학 열풍을 널리 퍼뜨리는 데 한몫을 하면서 독자들의 뜨거운 사랑과 관심을 받았습니다. 덕분에 지금까지 수백만 권이 팔리는 베스트셀러가 되었습니다. 그 사랑에 조금이나마 보답을 하기 위해 《칸트의 실천이성 비판》, 《미셸 푸코의 지식의 고고학》, 《이이의 성학집요》 등 우리가 꼭 읽어야 할 동서양의 고전 10권을 추가하여 만화로 만들었습니다.

〈서울대 선정 인문고전〉은 어린이와 청소년이 부모님과 함께 봐도 좋을 만화책입니다. 국민 배우, 국민 가수가 있듯이 〈서울대 선정 인문고전〉이 '국민 만화책'이 되길 큰마음으로 바랍니다.

손영운

우리에게 기학의 의미는?

한국을 대표하는 사상가는 누가 있을까요? 대부분의 사람들은 퇴계 이황과 율곡 이이를 떠올릴 것입니다. 그런데 이 두 사람은 모두 성리학자입니다. 저는 한국 사상을 공부하기로 마음먹었을 당시에 성리학에 대한 감정이 그다지 좋지 않았습니다. 특히 아직도 남성은 존귀하고 여성은 비천하다는 남존여비, 나이 어린 사람은 나이 든 사람에게 양보해야 한다는 장유유서 같은 성리학적 사고방식을 고집하는 사람들을 보면, 성리학이 더욱 싫었습니다. 물론 그 책임은 성리학 자체보다 성리학을 그렇게 이용하는 이들에게 있습니다. 그래서 저는 성리학 이외의 학문, 특히 실학 방면의 학자들에게 관심을 가졌습니다.

그런 과정에서 최한기의 《기학》은 제게 참 재미있는 책으로 다가왔습니다. 우선 거짓된 학문 목록에 성리학을 집어넣고, 그 이유를 성리학은 구체적 경험이 아니라 상상에서 출발했기 때문이라고 한 점이 무척 마음에 들었습니다. 학문이란 인간의 삶과 관련된 우주, 자연, 사회 등을 다루는 것입니다. 우주, 자연, 사회를 구체적으로 실험하고 관찰하지 않고서는 그것을 제대로 파악할 수는 없을 것입니다. 따라서 인간의 삶에 대한 구체적인 경험에서 나온 학문을 참된 학문이라고 한 최한기의 학문관이 마음에 들었습니다.

또 내게 가장 절실하게 다가온 것은 바로 모든 것은 변화한다는 최한기의 주장입니다. 말하자면 우주, 사회, 내 몸, 그리고 우리의 지식과 삶이 모두 변화하고 있다는 것입니다. 그런데 지금도 조선 시대의 가치관인 남존여비 따위를 고집하는 사람들이 있습니다. 우주에 대한 지식, 인간 사회, 우리의 삶이 바뀌면 그에 맞게 우리의 생각, 그리고 도덕도 바뀌어야 합니다. 그래서 최한기는 우리의 삶 등이 바뀌면 우리의 생각과 도덕도 바뀌어야 한다는 것을 '운화'라는 개념을 통해 설명하고 있습니다.

최근 우리나라는 여러 가지 상황이 빠르게 변하고 있습니다. 소위 '신자유주의의 세계화'가 진행되면서 많은 사람들이 사회에서 소외당하고 있습니다. 이처럼 우리를 둘러싼 환경이 바뀌고 있는 상황에서 변화를 중시하는, 그리고 변화에 능동적으로 대처할 것을 주장한 최한기의 《기학》을 살펴보는 것은 의미가 있는 일입니다.

구태환

'기학'이라고?

'기학이라고 하면 기를 다루는 학문이구나! 그렇다면 각종 무술과 기 단련과 관련된 학문이겠군!'

최한기의 《기학》을 읽어 보기 전까지만 하더라도 제 머릿속에 있던 '기'란 단어는 이렇게 유치한 뜻이었습니다. 그런데 알고 보니 엄청나게 큰 뜻을 가지고 있더군요. 우주 만물이 기로 이루어져 있고, 심지어 우리 몸까지 기로 만들어졌다니요! 서양 세력의 침탈 위기 속에서 몰락해 가는 구한말의 한 선비가 현대의 원자론과 맞먹는 이론을 펼쳤다는 게 정말 대단해 보였습니다.

최한기가 펼치는 '활동운화(活動運化)'란 이론은 참으로 탁월합니다. 저는 어릴 적에 풀밭에 누워서 구름 구경을 많이 했습니다. 참 신기하게도 구름은 잠시도 가만있지 않고 움직이면서 하늘이라는 캔버스에 아기자기한 그림들을 그리거든요. 용 모양, 호랑이 모양, 비행기 모양의 구름들, 그리고 보고 있으면 멈춰 있는 것 같지만 잠시만 한눈을 팔면 어느새 다른 모양으로 바뀌어 있는 구름들이 정말 신기했습니다.

이렇게 보고 있으면 어느새 노을이 지고 붉은 하늘 밑으로 해가 지곤 했습니다. 저는 집으로 돌아오면서 '세상은 참 신기해!'라고 생각했습니다. 하지만 이런 저의 어릴 적 추억을 최한기가 본다면 '활동운화', 즉 만물이 생동감있게 항상 움직인다고 표현하지 않았을까요?

최한기의 《기학》이 훌륭한 작품이란 것은 단순히 만물이 움직인다는 사실을 밝혀낸 것 때문이 아닙니다.

인간 세상에서도 이렇게 변화는 끊임없이 일어나므로 그 변화에 맞춰 연구하고 노력해서 스스로를 바꾸어야 한다는 '통민운화(統民運化)'의 가르침이 있기 때문입니다. 단순히 사물의 원리를 밝히는 것이 아닌, 인간 세상의 변화를 바라는 저자의 사상이 있기 때문에 이 책은 시대가 바뀌어도 고전으로 남아 있을 수 있는 것입니다.

몇 백 년 전에 살았던 한 서생이 이렇게 훌륭한 책을 썼다는 것은 그만큼 세상의 변화를 능동적으로 받아들였고 자신을 단련하고 변화시켰기에 가능했다고 생각합니다. 여러분도 미래의 꿈을 위해서 끊임없이 자신을 발전시키고 변화시켜서 통민운화를 할 수 있는 '큰 사람'이 되기를 바랍니다.

끝으로 좋은 책을 만들어 주신 김영사 여러분과 연두스튜디오 식구들 그리고 사랑하는 부모님께 감사를 드립니다.

이주한

| 차 례 |

기획에 부쳐 04

머리말 06

제1장 《기학》은 어떤 책일까? 12

제2장 최한기는 어떤 사람인가? 32

제3장 참된 학문과 거짓된 학문 56

제4장 '기'란 무엇인가? 72

제5장 '기'는 운동, 변화한다 90

제6장 '기학'은 유학이다 114

제7장 통민운화 132

제 8장 현실에서의 기학 150

제 9장 통민운화와 백성들의 삶 164

제 10장 최한기 '기학'의 의의와 한계 178

최한기 더 알아보기

최한기가 접한 근대 서양 과학 194

최한기는 어떤 책들을 썼을까? 198

실학과 최한기 200

제1장
《기학》은 어떤 책일까?
기치료
기

안녕?
여기에도
내 독자가 있군.

그런데
누구…신지?

아니, 나도 모르면서
내가 쓴 책을 어떻게
읽는다는 거야?
흥!
그게
아니라…

내가 요즘
학계에서
꽤 유명해졌는데
모르남?
최한기를
다시 보자!

하긴 모르는 게 어찌 보면
당연하지. 나는 살아 있을 때
대단한 활동을 하지도 않았고
큰 명성을 얻지도 못했으니까.
최한기가
누구야?
글쎄요…
새로운 아이돌?

그래서
내가 후세에 이렇게
유명해질 것이라고는
생각지도 못했지.
와아~~!

그런데 최근 들어 사람들 사이에 '기(氣)'에 대한 관심이 많아지면서 나에 대한 관심도 높아졌어.
기

그런데 기가
뭔가요?

글쎄?
그걸 쉽게
설명할 수 있을까?
저를 너무
무시하시는
군요.

속닥 속닥 속닥
기는 자고로
주절주절,
속닥속닥….

이런,
아직 시작도
안 했는데….
꽹

이처럼 간단치 않은 '기'에 대한
설명을 담고 있는 책이 바로
《기학(氣學)》이야.
氣
기학

당시에 나는 이 책이 이전 학문의 잘못을 지적하고, 제대로 된 학문을 전파할 수 있을 거라고 자부했어.
이 책은
베스트셀러가
될 것이다!
대박
기학

하지만 안타깝게도 이 책은 별로 주목을 받지 못했지.
생전 처음 보는
책이구먼.
재고 도서
대처분
기학

벌떡
그런데 100여 년이 지나서 내 책을 소개할 기회를 갖게 된 거야!
기학

그래서 말이지, 여러분들처럼 어린 선비들에게 내 책을 소개하게 되어 무척 기뻐.
어떤 책이기에 그렇게 인기지요?
얼떨결에 사긴 했는데…
氣學
기학
절찬 판매
최한기
기학

너무 서둘지 마시게. 이 책의 내용에 대해서는 앞으로 차근차근 이야기할 거니까 말이야.
멀다 멀어!

다음 장에서 설명하겠지만 우선 내 소개를 간단히 해 볼까?
네!

나는 조선 후기에 살았어. 정확하게는 1803년부터 1877년까지 살았지.
슝~!

200년 전 종로 모습이야.
그때 조선 사회에는 이미 서양의 과학이 소개되어 있었고,
서양의 종교인 기독교도 전파되어 있었지.
그리고 과학 기술의 발달로 힘이 세진 서양의 국가들이 조선에게 문호를 개방하라고 압력을 넣고 있던 때지.
누구?

어린 선비님들도
요즘 우리 사회에서
벌어지고 있는 일들을
생각해 보면 쉽게
이해 될 거야.
쾅쾅

미국을 비롯한 강대국에서
우리나라 시장을 개방하라며
압박하고 있잖아.
어서 열어!

내가 살았던 때에는
이것보다 더 큰일이
벌어지고 있었지.

이런 현실에서 나는 서양의
과학을 받아들였어.
우아,
최신 상품
망원경이다!

서양 과학의 발달은 정말 놀라웠어.
내 호기심을 자극하기에 충분했지.
달이 우리 집
앞마당에
있는 것 같잖아!
뭘
그 정도를
가지고!

그것은 조선에 많은 영향을
끼쳤던 중국의 학문이나 조선의
학문과는 전혀 달랐거든.
뭐가 돈다고?
지동설

나는 서양의 과학을 내 나름대로
정리하는 데 힘을 쏟았지.
내가 보는
서양 과학은
이래저래….

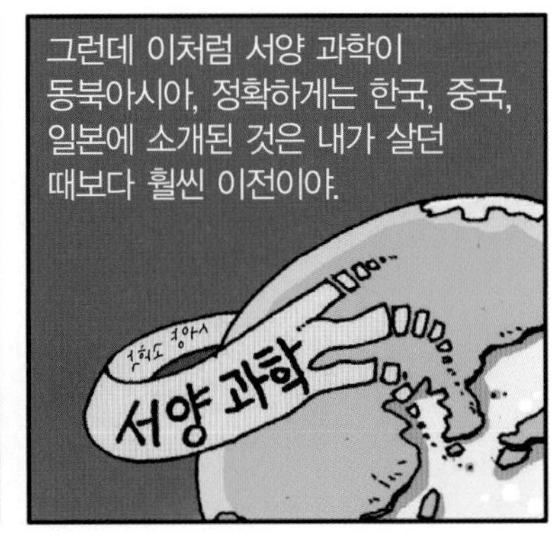

그런데 이처럼 서양 과학이
동북아시아, 정확하게는 한국, 중국,
일본에 소개된 것은 내가 살던
때보다 훨씬 이전이야.
서양 과학

서양 과학이
언제 어떻게
들어왔는지
알고 싶어요.
좋아!
날 따라오렴.

먼저 서양 과학이 어떻게
동북아시아에 전파되었는지
알아 보자!
자, 과거 속으로 출발!

중국 베이징
자, 여기는 1600년대 중국 베이징이다!
여행은 즐거워!

여기서 누구를 만나실 건가요? 황제?
이번에 우리가 만날 사람은….
두리번

중국에 온 이탈리아 선교사 마테오 리치야!
본죠르노! 아, 아니, 니하오마!
우왓! 중국에 서양 과학을 전해 준 분?

제 이름은 이마두(利瑪竇) 입니다.
예? 마테오 리치 아녜요?
사람을 잘못 봤나?

아, 그건 본명이고 여긴 중국이니까 중국 이름을 쓰는 거죠.
하하하하!
중국
I ♡ 中國

중국 사람과 친해지려면 중국 이름을 쓰는 게 좋죠, 하하하!
우리는 친구!
福 福

내 듣기에 요새 영어 학원에서 외국인 선생님들이 학생들에게 영어식 이름을 하나씩 지으라고 한다는군.
마이클, 존, 샐리, 케이트 중에서 뭘 할래?
I ♡ English

외국어 배운다고 해도 우리 땅에서 영어 이름이 왜 필요한겨! 넌 한국 이름 있어?
제 한국 이름은 장동건으로 할게요….
버럭!
I ♡ KOREA

*동방정교회 – 그리스 정교회라고도 불리며 예루살렘, 그리스를 중심으로 발전한 기독교 교회의 총칭이다.

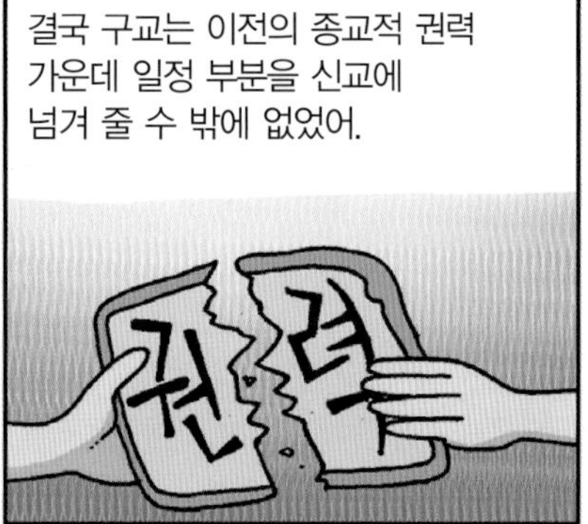

구교 세력 가운데 일부 교파는
내부의 문제를 고치기 위해
노력했어.
반성해야 합니다!

마테오 리치가 속한 예수회가
그러한 교파 가운데
하나이지.
우리의 잘못을
뼈저리게 반성하고
선교에 나서도록
합시다.

예수회의 원래 명칭은
'Compagnia di
Gesu'인데,
'꼼빠니아
디 제수'라고
읽으면 돼요?
Compagnia
di
Gesù

'예수의 군대'라는 뜻이야.
아하!
십자군?

하하, 그런 건 아니고
예수의 뜻을 실천하는
사람들이라고
생각하면 되지.
허허

하지만 군대라고 칭한 만큼
선교사들을 상당히 엄격하게
훈련시켰던 것 같아.

뿐만 아니라 예수회 선교사들은 인문학과
과학도 배워야 했어.
기초 과학
(1)

그냥 '믿으면 된다'라는
것이 아니라, 당시 선진
과학으로 자신들의 믿음을
설명하려고 한 거야.

이것은 다른 교파들이
선교하는 방식과 전혀
다른 것이었어.
믿어라,
이 야만인들아!
철컥!

다른 교파들은 선교를 위해 심지어
군대까지 동원했거든.
저 이교도들에게
벌을 내려 주소서!
할렐루야!
악마다!

지금도 우리 주변에서는
이런 모습을 볼 수 있지.
불신
지옥

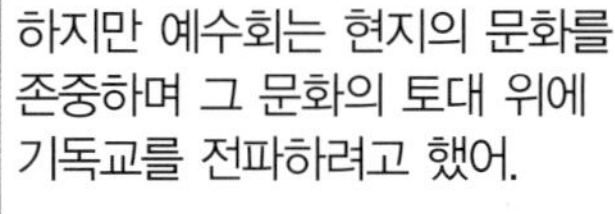

하지만 예수회는 현지의 문화를 존중하며 그 문화의 토대 위에 기독교를 전파하려고 했어.

그래서 학문적으로 무장하고 현지의 문화 속으로 들어가서 그 위에 기독교를 세우려는 것이었어.

마테오 리치는 이러한 예수회의 선교사 중 하나였지.

마테오 리치는 중국에 도착한 뒤

자신이 사는 집에 선화사라는 현판을 걸어 놓았다고 해.

하지만 마테오 리치는 곧 생각을 바꾸었어.

그는 유학자와 교류하기 시작했어.

그의 중요한 무기는 인문학과 과학이었지.

특히 서양 과학에 대한 중국인들의 관심이 대단했거든.

그리고 그는 당시 명나라의 황제인 신종황제에게 수도인 연경(지금의 베이징)에 살아도 좋다는 승낙을 얻어냈어.

이후 많은 예수회 선교사들이 연경에서 기독교를 전파하게 되었어.

그런데 마테오 리치가 죽고나서 한참 뒤에 문제가 발생했어.

예수회를 질투한 다른 교파인 도미니크회, 프란체스코회에서 로마 교황청에 문제를 제기한 거지.

바로 제사에 관한 것이었어.

우상 숭배란 기독교에서 하나님이 아닌 사물이나 귀신을 하나님인 것처럼 숭배하는 것을 말해.

이것은 기독교에서는
엄격히 금하는 것이거든.
하나님께서
우상 숭배하는
일을 피하라고
하셨습니다.

언뜻 보아서는 조상의 신위에 음식을
바치고 절하는 행위가 우상 숭배로
보일 수 있지.
우상 숭배!

하지만 예수회 선교사는
그렇게 보지 않았어.
저것은 조상에게
감사하고 부모에게
효도하는 행위다!
조상님!

그래서 중국 내의 기독교
신자들이 제사 지내는 것을
금지하지 않았던 거야.

그런데 다른 교파들이 이 문제를
로마 교황청에 제기한 거지.
예수회는
하나님을
모독했습니다!

결국 로마 교황청은 도미니크회와
프란체스코회의 손을 들어 주었고
유교의 제사는
우상 숭배다!
땅 땅 땅

중국의 기독교 신자들에게
제사를 금지하라고 명령했어.
NO! 제사

이 소식이 청나라 황실에 들어가자
뭐시라?
우상 숭배?

당시 황제인 강희제는 매우 분노했어.
제사를 인정하는
선교사만
연경에 살게 하라!
버럭

아휴,
열 받아!
동동!
1미터
어린 선비님도 생각해 보게.
우리나라의 고유한 문화에
대해서 남들이 왈가왈부하면
기분 좋겠나?

결국 로마 교황청은 1773년에
예수회를 해산시키고 말았어.
예수회

그리고 다른 수도회가 중국 선교를
맡았지.
할렐루야!

하지만 그야말로 믿음으로만
선교했고 인문학과 과학적인 교양을
갖추지 못했어.
이제 과학은
안 가르쳐
주나?
오직 믿음
아멘

그래서 얼마간
서양 과학이
전파되지 못했지.
제사
금지

그럼에도 예수회가 끼친 영향은 적지 않았어.
잉?
조선에도?
그럼요,
실학자들의
사상에 영향을
주었지요.
사인 좀….
인기짱
홍대용

사실 내게 직접적으로
영향을 준 서양 과학은
한참 뒤인 19세기에 들어오지.

19세기에 들어온 서양 과학은
17세기보다 훨씬 발전된 것이었어.

19세기의 서양 과학은 주로 개신교
선교사들에 의해서 전해졌지.
헬로우!
과학

그리고 이때에는 신식 설비를 갖추고
전문 과학자가 참여하는 출판사들이
생겨났어.
책을 많이
찍어서 널리
알립시다!

중국에서
금방 도착한
신간이오!
이것은 더욱더
정확한 지식이
빠른 속도로 멀리
전달될 수 있다는
것을 의미하지.
천주실의

이들 선교사들도 마테오 리치와 같이 선교를 위해 자신의 지식을 활용했어.
기다려 봐, 내가 예를 들어 주지.
뭐하세요?

찾았다!
《신기천험》?
신기 천험

이 책은 벤저민 홉슨(B. Hobson), 중국 이름 합신(合信)의 의학서를 다시 정리한 거야.
일종의 편집판이라고 할까?

홉슨은 영국의 개신교 선교사인데 의사이기도 했지.
주님과 함께 의술을!

그는 중국 상해에서 병원을 세워 직접 환자를 치료하면서 선교했어.
하나님께서 당신의 병을 낫게 할 것입니다.

홉슨은 의료 활동뿐 아니라 서양 의학에 대한 책도 다섯 권이나 출판했어.
내 의학 지식을 중국의 현실에 맞게 응용한 책이지.

혹시 영어로 쓴 건가요?
그럴리가!
제가 영어를 잘 못해서….

중국인에게 읽히기 위한 책이므로 당연히 중국어, 즉 한자로 썼지!
서양에는 이런 학문이 있었구만. 놀라워!
중국어는 더 못하는데….

이를 '한역서학서', 즉 중국어로 번역된 서양 학문에 관한 책이지.
중국어로 번역한 거라고!

내가 살던 당시만 하더라도 중국인과 조선인이 서로 만났을 때
我快俄死了 워콰이 어쓸러!
시방 뭐라카노?
我快俄死了!

말은 통하지 않더라도 문자는 통했거든.
아항, 밥 달라고?
드시게!
食

우리에게는 우리 고유의
글자 훈민정음이 있었지만,

양반들은 훈민정음을 '언문' 이라며
괄시했어.
즉, 한자를 기본으로 써야 했지.
요새 영어처럼?
ENGLISH

요즘도 중국 사람들과 말은 못 해도
글자로 대화를 하는 경우가 있어.
이런 걸 필담이라고 해.
변소?
便所

말이 다른 곳으로 흘렀군. 어쨌거나 나는 이 한역서학서를 통해서 서양 과학을 배웠어.
또 삼천포…

홉슨은 자신이 가진 의학적 지식을 소개하면서
끝부분에 자신의 목적을 드러냈지.
이렇게 인체란 설명할 수도 없이 신비한 존재입니다. 이렇게 신묘한 인체를 만들 수 있는 존재가 과연 누구일까요?
혹시 하나님?

정답입니다! 바로 전지전능한 하나님이시지요!
짜잔
할렐루야!

홉슨을 비롯한 선교사들은 마테오 리치
이후에도 중국과 조선의 학자들이
서양 과학을 접하는 데에
많은 도움을 주었어.
나도 이것들을 내 학문 체계에 담아내려고 노력했지.
과학

그런데 서양의 학문을
받아들이는 조선이나
중국 학자들의 태도는 크게
세 가지가
있었어.
과학

하나는 배타적인 태도인데
No! Don't! 절대 안돼! Never! Nothing!
왜 영어를…?

이것은 조선과 중국의 학자들 대부분이
취한 태도였지.
흥!
우린 소중하니까!

특히 조선의 경우는 한족 왕조인 명나라가 망하고 만주족 왕조인 청나라가 중국을 차지하자
이제 유교의 도는 끊겼도다! 흐엉엉~!
청
재 뭐니?
청
명
이제 유교의 도는 중국에 있지 않고 우리 조선에 있도다!
유교
소중화
이랬는데….
일

그런 그들의 입장에서 서양의 문물은 그야말로 오랑캐의 것들이었지.
허걱! 이게 뭔 내용이여?

생긴 것도 이상한 것들이 생각하는 것도 이상하구나!
이것들이 정말!

이처럼 상대 문화의 우수한 점을 인정하지 않는 태도는 매우 위험해.
꺼져라, 오랑캐야!
언젠가 큰코 다친다잉!

결국 서양 문물을 먼저 받아들인 일본에게 우리를 넘볼 기회를 주고 만 거지.
우물 안에 갇혀 있는 멍청한 조선인아!

또 하나의 태도는 전면적인 수용이었어.
사랑합니다! 서양 것이면 뭐든 오케이!

이런 태도를 지닌 사람들은 서양의 과학뿐만 아니라 종교도 받아들였지.
종교
西
과학

하지만 지나친 나머지 혹독한 시련을 겪게 되지.

그 대표적인 사건이 1801년 신유박해인데, 집권층이 천주교 신자 100여 명을
처형하고 400명을 유배 보냈지.

나는 이렇게 수용하는 태도에도
문제가 있다고 봐.
서양의 종교는 우리 문화와 안 맞는 부분도 일부 있거든.

그리고 마지막으로 서양 학문을
부분적으로 수용하는 태도가 있지.
나도 이렇게 생각해!

무엇보다도 나는 서양의 종교,
기독교는 받아들이지 않았어.
넌 됐거든!
과학

나는 내 나름대로 서양 학문을 받아들이는 데에 확고한
기준을 가지고 있었던 거야.
에헤라 디야~
요새 말로 주체성이 있었다고나 할까? 허허허~.
잘난 척하시긴!

그 기준이 뭔가요?
내 책 제목을 보면 짐작할 수 있을 텐데?
기학

혹시 '기'?
그렇지, 역시 똑똑해!
기학

공자님도 네모진 물건의 한 모퉁이를 말했는데 나머지 세 모퉁이를 모르면 가르치지 않았다고 하던데 말야!

우리 어린 선비님들도 스스로 답을 찾는 것이 정말 중요할 거야! 허허허.
영차!
영차!
저…, 스승님!
LA행

아이코, 이런 또 샛길로 빠졌군. 어쨌거나!
여기가 어디여?

나는 이 '기'를 내 학문의 기초로 삼았어.
기가 뭐냐고?
기

나중에 설명한다니까 자꾸 서두르는군.
그래도 대충이라도 알아야 시작을 하죠!

그렇다면 일단 '기란 만물을 이루고 있고, 언제나 운행하면서 변화하는 것'이라는 정도로 해 두지.
기

그보다 여기에서는 《기학》이라는 책이 어떤 체계와 내용을 갖고 있는지 살펴보자고.
좋은 책이여!
氣學
기학
베스트셀러
이미 한 권 샀다고요.

자, 기학은 몇 권으로 되어 있을까?
호, 혹시?
22
21
20
19
18
13
11
기학1

《기학》이라는 책은 총 두 권이야.
그래도 많아요!
이걸 언제 다 읽어?
기학 2

겁먹지 마시게. 조선 시대에 한문으로 쓴 《기학》 책을 본 적 있나?
아뇨.

그 당시 책은 지금의 책보다 훨씬 크고, 글자도 매우 컸지.
형님!

그리고 지금보다 종이가 상당히 두꺼웠기 때문에 쪽수는 그리 많지 않아.
!

지금으로 말하면 50쪽 정도. 두 권이라고 해 봐야 100쪽도 안 되는 거지.
만세!
허허허!

하지만 쪽수가 아무리 적어도 내용이 어렵다는 것!
헉!

난 원래 이 책 문단 하나하나에 작은 제목을 달지 않았어.

그런데 요즘 시대에 번역한 학자는 작은 제목을 달아 놓았더라고.
작은 제목을 잘 붙였네.
기학

그래서 지금 선비들은 《기학》을 쉽게 읽을 수 있지.
내용이 머리에 쏙쏙 박혀요.

나는 제대로 된 학문을 세워 보겠다는 원대한 포부를 가지고 이 책을 썼어.
학문
으라차!

무엇이 제대로 된 학문인가요?
아주 좋은 질문이야!
기자

나는 기에 기반을 둔 학문이
진정한 학문이라고 생각했어.
학문
기

그래서 책 제목도 《기학》이라고 지었고, 내 학문 체계를 기학이라고 한 거야.

앞에서 말했듯이 기는 만물을 이루고 있을 뿐 아니라 언제나 운행하고 변화하는 존재야.
만물

이런 기에 기반을 둔다는 것은 경험하고 관찰한다는 의미야.
끊임없이 운행하고 변화하니까 잘 살펴봐야지.

결국 기의 운행 변화의 원리를 알고, 그에 맞춰 삶을 살아가는 것을 목적으로 하는 학문이 바로 기학이지.

예를 들어 볼까?
아, 아니 왜 옷을 벗는 거예요?
훌렁

놀래기는! 내 몸도 만물 가운데 하나이니 기로 이루어져 있다는 걸 보여 주려는 거야!

내 몸은 끊임없이 변화하고 있어.

내 몸을 이루는 세포들은 노화하여 죽고, 또 새로 생겨나는 것을 끊임없이 반복하지.

내 몸을 둘러싸고 있는 환경 또한 마찬가지야.
끊임없이 변화하지.

추워지기도 하고, 더워지기도 하지.

또 축축해지기도 하고, 건조해지기도 해.

이런 상황에서 내가 내 몸을 지키기 위해서 어떻게 해야 할까?
무조건 병원 가야죠!
보험
건강 염려증 환자

물론, 내 몸 상태를 잘 알아야겠지.
헉! 지독한 변비가 있군요.
뿌웅
윽

그리고 날씨가 어떻게 변하는지도 잘 살펴봐야 해!
우산을 가지고 올 걸 그랬어요.
참, 오늘 비 온다고 했지! 깜박했군!
쏴아아

즉 내 몸과 나를 둘러싼 날씨를 알아야 건강을 지킬 수 있다는 말씀!

이처럼 기학은 아주 상식적인 것에서 출발하는 거야.
상식

그리고 이런 학문은 인간에게 아주 이로운 거야.
기학

하지만 내가 보기에 당시의 많은 학문들은 기학과는 거리가 멀었어.
기학

어떤 학문은 인간의 상상으로 만들어 놓은 신이나 원칙에 바탕을 둔 것이었고
거대한 구렁이 신이 말씀하시기를….

어떤 것은 인간의 삶에 아무짝에도 쓸모가 없지.
태양을 붙잡는 방법을 연구 중이죠.

나는 이 책에서 이런 학문들과 기학을 구분했어.
갈라져랏!

또 나는 이 책의 많은 부분에서 기의 운행과 변화에 대해서 설명했어.
이건 기학에서 매우 중요한 부분이지.

기가 운행하고 변화한다는 것을 증명해야만 기학이 더욱 튼튼해지기 때문이야.

또한 나는 기학을 바탕으로 그 당시의 여러 가지 현상을 설명하려고 했어.
異端雜學方其倡起
이 부분은 요즘 사람들 생각과 맞지 않을 거야.
뭔 소리래요?

그래도 내가 살았던 시대의 한계로 생각해 주었으면 해.
으허 허허

사람이 자신이 살던 시대를 완전히 뛰어넘는 생각을 한다는 건 거의 불가능하잖아?
시대의 벽
훌쩍!

자, 기학에 대한 간단한 소개는 여기까지 하고!

다음에는 내 소개를 해 볼게. 가자!
원래 책을 쓴 사람이 누구인지 궁금해지게 마련이죠.
쑥스럽구먼…
제2장

그런데 아까 못 물어 봤는데 자네 머리가 그게 뭔가?
왜요? 이게 최신 유행인데.

제2장 최한기는 어떤 사람인가?

자는 일반적으로 아버지나 할아버지가 요즘의 성년식인 관례(冠禮) 때에 지어 주고

호는 주변 사람들이 지어 주거나 스스로 짓기도 해.
저는 호가 오공입니다. 오공 이영호.
50205?
원숭이?

이 정도면 내 소개가 적당하지 않은가?
흠!
예에? 겨우 이름만요?

적어도 책을 읽기 위해서는 글쓴이가 어떤 위치에서 글을 썼는지는 알아야 하잖아요?
좋은 지적이야!
바로 그거야!

하긴, 똑같은 사물을 보더라도 어느 위치에서 바라보느냐에 따라서 본 내용이 달라질 수 있거든.
1
2
3
4

이런 걸 빗댄 속담이….
'장님 코끼리 말하듯 하다.' 라는 것이 있죠.

내 몸의 한 곳만 만져 보고 나를 아는 척 한다는 거지!
바로 일부만 보고 전체를 말하는 것!
왕순대?

장님이 아니라고 해서 코끼리 전체를 한꺼번에 볼 수 있을까?
예에?

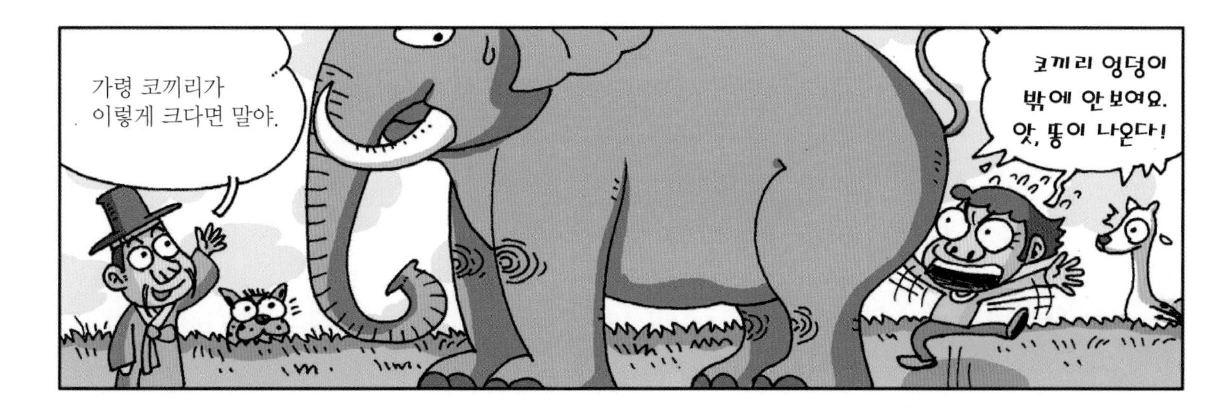

가령 코끼리가 이렇게 크다면 말야.
코끼리 엉덩이 밖에 안 보여요. 앗, 똥이 나온다!

이렇게 우리 위치에 따라서 생각이 달라지므로, 책을 읽을 때는 글쓴이의 위치를 알 필요가 있어.
왱~!

그럼 선생님에 대해서 자세히 알려 주세요.
흠흠. 조선 후기에 대해서는 이미 말을 했고.

그럼 내가 태어난 곳부터 말해 볼까?
최한기의 출생

어린 선비님은 송도가 어딘 줄 아시나?
송도요?
엄청 많네!
인천 송도
부산 송도
포항 송도
송 도

아니, 지금의 개성을 말하는 거야.
아, 북한에 있는 개성이요?
개성
북한 사람?

그렇지. 북쪽에 있고 지금은 남쪽 기업들이 공단을 설립한 곳으로 유명하지.

하지만 고려 시대까지만 하더라도 개성은 한반도의 수도였단다.
아, 맞다!

고려는 918년에 태조 왕건이 나라를 세운 뒤,

1392년 멸망하기까지 450여 년 동안 한반도를 지배했어.
고려

혹시 이런 시조를 들어 본 적 있나?
어떤?
얼쑤~!

오백 년 도읍지를 필마로 돌아 보니
산천은 의구한데 인걸은 간 데 없어
어즈버 태평연월이 꿈이런가 하노라

이 시조는 고려 말기에서 조선 초기까지 살았던 길재(吉再)라는 학자가 지은 것으로
휴….

450년간 고려의 수도였던 송도, 즉 지금의 개성을 둘러보면서 고려의 패망을 슬퍼하는 내용이야.
인생 무상이구나….

나는 이 송도에서 태어났단다.

당시에는 수도에 아무나 살 수 없었어.
주로 고위 관리들이 많이 살았지.

한 마디로 고려 왕조의 혜택을 많이 받고 충성하는 사람들이 살았다는 얘기지.
우리는 송도 사람이야!
송도

그러다가 나라가 조선으로 바뀌고, 한양(지금의 서울)이 수도가 되자
이제부턴 여기가 수도다!
한양
송도

송도 사람들은 더 이상 벼슬을 하지 않게 되었어.
불사이군(不事二君)! 두 임금을 섬길 수 없지.

한 왕조에 충성하고 그 왕조로부터 사랑 받던 사람이

새로운 왕조가 등장했다고 재빨리 마음을 바꾸는 것은 의리 없는 짓이잖아?
?

물론 조선 왕조 사람들도 이 사실을 몰랐을 리 없어.
고려를 섬기던 놈들이 어떻게 나에게 충성하겠느냐? 흥!

결국 나같은 송도 출신이
조선 왕조에서 벼슬길에 오르는 것은
어려웠어.
송도 사람
출입 금지

이제 우리 집안
이야기를
해 볼까?

예전에는 내 생애에 대한 자료를 찾기가
쉽지 않았어.
책을 천 권이나
쓰신 분이
왜 본인의 자료가
없을까?

그래서 학자들 중
일부는 나를
중인(中人)이라고
추측하기도 했지.
중인이오?

조선 시대 사회 계층을 크게 양반(兩班)과
상민(常民)으로 나누면,

중인은 가운데 계층으로
기술적인 분야를
담당했었지.
통역
의학
역학

내가 과학 기술 분야에
관심이 많았고 그에 대한
책이 많아서 나를
중인으로 착각했나 봐.
?

하지만 나는 엄연한
양반 가문에서
태어났거든.
에이,
결국은 자기
자랑이잖아요.
너무해!

아니야. 그런데 대단한
권세를 가진 집안은
아니었어.

우리 집안은 대대로
무관을 지냈어.
요즘으로
말하면
직업 군인
집안이지.

당시에는 무관보다는 문관이
대접 받았지.
조선 시대에는
직업에 귀천이
있었거든.
무식한
놈~!

개성 출신에
무관 집안이면
알만 하지?
출세는
글렀네요.

그렇다고 해서 내가 가난하게 산 것은 아니야.
돈 좀 있었어!
사업이라도 하셨나요?

태어나자마자 친척 집안에 양자로 가게 되었거든.
…그런 슬픈 과거가 있었다니….
뭐?
불쌍해라!

몰라도 한참 모르고 있군!

난 종갓집 양자로 들어간 거라고! 종갓집이라는 건 아나?
김치?
김치

아하하하, 무식한 녀석!
웃지 마요!

어린 선비님은 형제가 있나?
없어요, 외동아들이죠.

요새는 하나 키우기도 힘들어요.
허허, 요새는 인구 때문에 많이 낳아야 한다던데….
아빠?

그럼 선비님의 부모님은 어떠하신가?
저는 장남입니다.

옳거니! 그럼 할아버지도 장남이신가?
네, 맞습니다!

할아버님도 장남이면 종가일 가능성은 더욱 커지겠네.

만약에 증조할아버님도 장남이라면? 그리고 고조할아버님도 장남이라면?
그게 왜요?
왜 저래?

이렇게 대대로 장남들이 이어온 집안을 종가라고 하지.
오늘날에도 종가가 이어지고 있잖아.

이런 종갓집에서는 대를 잇는 것이 매우 중요했지.
자식을 낳아서 대를 이어야 하오. 난 5대 독자!

요즘에는 꼭 그렇지 않지만, 내가 살던 당시에는 아들만이 대를 이을 수 있었어.
아들이 꼭 필요한데….

그런데 만약 종가에 아들이 태어나지 않으면 대가 끊기겠지?
조상님들 죄송합니다! 흑흑….
4대 독자

그런 경우에는 어쩔 수 없이 친척의 아들을 양자로 삼아 대를 이었어.
넌 이제 내 아들이다!

말도 안 돼요! 뭘 그렇게 구차하게 대를 이어요?
허허허, 지금의 생각으론 이상하겠지.
진정해!

하지만 당시 양반들은 조상님의 제사를 지내는 것을 매우 중요하게 생각했어.
조상님

그리고 제사는 장남밖에 못 지내거든.
헉…, 장남은 힘든 일을 했군.

그래서 내가 양자로 가게 된 거야.

나를 양자로 받아들인 양아버지는 겸사복장(兼司僕將)이라는 벼슬을 지내셨는데
어서 오너라!

당시 종2품 무관직으로 궁궐을 경비하고 임금을
호위하는 직책이었어.
지금으로
말하면 대통령
경호실 정도?
하하!

종2품이면 대단한
직책이야. 지금으로 말하면
고급 장교이거나
별을 단 장군이지.
우아,
땡 잡으셨네요.
팔자 피셨다!

그래서 난
경제적으로
풍족하게
살 수 있었어.
유후,
외제차 좀
굴리고
그러셨어요?

떽!
난 그렇게 험부로
살지 않았어!

난 어려서는 성리학
공부에 몰두했어.
성리학이란
무릇….
나가
놀기라도
하렴.

어린 선비님도
성리학에 대해서
들어 봤나?
유학의
일종이란 건
알고 있어요.
유학

유학이
뭐냐고 묻진
마시고요.
흠, 나도
한 마디로
설명하기
힘들구나!
제발!

성리학은 조선 시대
지배 이념이었는데
성리학

조선 시대 문관을 뽑는 과거 시험에서
성리학과 관련된 문제를 냈지.

다시 말해서 성리학을 공부해야 문관이 되어
고위 관료가 될 수 있었지.
성리학

나 최한기도 열심히 공부해서
과거에 합격하여 고위 관료가
되려고 했지.
생원시 합격!
급제

과거는 3단계로 되어 있는데, 생원시는 초기 시험으로 사서나
오경 가운데 선택하여 시험을 보는 것이지.
생원시
복시
어전시

하지만 곧 그만두고 말았어.
왜, 왜요?
포기

흠, 생각해 보게. 개성 출신에, 무관 집안이라는 것이….
하긴 조선 시대에는 문관을 우대하고 무관은 홀대했죠.
껌

한 마디로 아웃사이더였다는 거죠?
그렇지, 으하하하!
껄껄

난 개성에서 태어나긴 했지만 양아버지가 한양에서
벼슬을 지냈기 때문에 주로 한양에서 살았어.
지금의 남산 아래 회현동 근처에서 살았지.

내가 그때 중국에서 들어온
한역서학서를 보게 된 거야.
새로운 책이 나왔구나.

그 때 썼던 책값이 만만치 않았지.
그렇게나 비쌌어요?
다 돈이야!

그럼, 난 직수입한 원서를 사서 봤거든.
돈을 그렇게 쓰셨군요. 멋지다!

그래서 우리 집에는 서적상들의 발길이 끊이질 않았어.
새로 수입된 책 갖다 주고!
이미 본 책 싸게 가져오고!

난 근사한 서재도 지었지. 한번 볼래?
예!

우아! 책이 이렇게나 많아요?
어허허허! 사실 서재라기 보다는 사설 도서관에 가까웠지.

그래서 나중에는 양아버지가 물려 주신 재산을 많이 축내고 말았지.
아버님, 죄송합니다….

하지만 난 후회하지 않았어. 남들보다 빨리 한역서학서를 보고 내 나름의 학문 체계를 세울 수 있었으니까.
학문
왠지 뜻깊게 돈을 쓴 것 같은데요.

이미 말했지만 나는 어렸을 때부터 성리학 공부에 집중했어.

그때 내 선생님 중 한 분이 김원행 선생의 제자였어.
김원행?
김원행
김원행(金元行)
조선 후기의 학자. 문신. 종조부 창집이 노론 4대신의.

당시 성리학계의 큰 어른이었지.

그분은 지금의 남양주에 있던 석실서원(石室書院)에서 제자들을 가르쳤어.
석실서원
그분의 유명한 제자로 홍대용 선생이 있지.

홍대용 선생은 한양쪽으로는 일부러 발걸음도 하지 않으셨다고 해.
혹시 땅값 때문에?

한양쪽으로 간다는 것은 벼슬에 뜻을 둔다는 뜻이거든.
여기는 한양으로 가는 벼슬길입니다.
흥!
30

그래서 제자도 벼슬에 뜻을 두지 않는 사람만 받아들였다고 해.
평생 백수로 살겠습니다.
오냐!
껄껄

내가 벼슬의 뜻을 접은 것도 그분의 영향이 좀 있었지.

이제는 내가 친하게 지냈던 사람들에 대해서 말해 볼까?

그 사람을 알려면 그 친구를 보면 된다는 말이 있듯이 내 친구를 보면 내가 어떤 것에 관심이 있었는지 추측할 수 있을 거야.
김정호
지리 천문
나
기학
이규경
기술 공학
내 그럴 줄 알았어. 친구끼리도 놀지 않고 공부하네.

우선 내 친구 김정호(金正浩)를
소개할게.
고산자
김정호

와! 혹시
대동여지도를
만드신 분?
어떻게
절 아세요?
사인
좀….

김정호는 어릴 적부터 우리나라
지도 제작에 뜻을 두고 있었지.
가장 정밀한
지도를 만들어
보겠다!

그래서 기존의 지도와 지리에
관한 책을 열심히 읽었고
지리, 지리!

조선 삼천리 강산을 걸어다니면서 예전의 것과는
비교할 수 없을 정도로 정확한 지도를 만들었지.
조선 팔도에
내가 밟지 않은
곳은 없다고!

우리는 매우 친해서 학문에 대해 자주 의견을 나누었어.
이거 훌륭하군!
아예 학문을 나누어
내가 천문학, 자네가
지리학을 연구하면
어떻겠나?
그러세.

그런데
실제로 천문
연구만 하신 건
아니잖아요.
뭐, 정확히
지킨 건 아니었지.
워낙 쓸 책이
많아서.

나는 김정호가 우리 집에서 지도를
판각할 수 있도록 하는 등 나름대로
도움을 줬어.
뚝딱뚝딱!
훌륭해!

하하하,
물론 모두
양아버지
덕분이지.
김정호의
후원자인
셈이군요.

옛날과 오늘날의 이야기 가운데
의심스럽거나 다시 한 번 생각해
봐야 할 것들에 대해서
설명하고 있지.

이 사람은 1871년 신미양요 때에 강화도를 지키고 있었어.

나에게 미군 배를 격퇴시킬 방안을 묻기도 했지.
한 방에 보낼 수 없을까요?

지금까지 말한 사람들이 나와 교류했던 사람들이지. 어떤 공통점이 있을까?
모두 남자네요.

그런 것 말고! 모르겠나?
음, 출세한 사람은 없다는 것?
얏-!

맞았어! 내 친구들 중에 고위 문관은 없었지.
자랑이십니다.

사실 나는 문관들과는 거의 교류가 없었어.
김정희는 중인, 이규경은 서자였고 정기원은 무관이었지.
에잉? 서자요?
중인
서자
무관
외동아들

아버지는 양반이지만 어머니는 천한 신분인 사람을 서자라 하지.
아버지를 아버지라 할 수 없고! 그럴 뿐이고!

이런 사람들과 어울린 이유는 개성 출신과 무관 집안이라는 나의 출신 성분 때문이지.
아웃사이더
위하여!

나는 주로 김정호나 이규경 같은 이들을 만나면서 과학 기술에 대해 토론하고 조선 바깥의 세상일에 대해서 알고자 했어.

자, 그럼 내가 살았던 조선 사회에 대해서 알아보도록 하지.
네!

어디에서부터 이야기할까? 아무래도 임진왜란 이후부터 시작하는 게 좋겠군.
1591
1592
1593

드라마에 나오는 임진왜란 말이죠?
옳거니!

이 전쟁은 1592년부터 1598년까지 일본이 두 차례 조선을 침입하여 일어난 전쟁이야.
이로 인해 전쟁터였던 우리 땅은 쑥대밭이 되고 말았지.

7년 동안
전쟁을 했다면
그 피해가 어마어마
했겠네요.
그뿐이
아냐.

그 피해가 가시기도 전에 이번에는 북쪽에서
전쟁의 소리가 울려퍼졌어.
또 전쟁이야?

1636년에 청나라가 조선을 침략한 병자호란이 바로 그것이야.
어서 항복하고
무릎 꿇고
빌라!

어린 선비님은
전쟁놀이를 해
보았나?
게임으로
많이 하죠.
뿅
뿅

게임으로 전쟁할 때는 재미있지.
으하하하,
내가 50명
죽였다!

그런데 게임이 아니라
진짜 사람들이 전쟁하면 어떨까?
헉!

전쟁이 실제 상황이라면 정말 무섭고 비참하지.
내가 사람을 죽이다니!

혹시 인터넷이나 TV를 통해 아프가니스탄이나 이라크 전쟁을 본 적이 있나?
그럼요! 탈레반과 독재자들을 무찌르는 걸 봤죠.

아니 그것 말고, 전쟁 때문에 무고한 사람들이 죽어가는 걸 보았냐고?
예?

폭격 당해서 무너진 건물들 옆에서 부모를 잃고 겁에 질린 아이들. 이것이 전쟁의 현실이지.

전쟁은 모든 것을 파괴하기 때문에 절대 없어야 해!
전쟁 반대!
NO WAR

7년 동안 임진왜란을 겪은 조선은 그야말로 폐허 그 자체였어.

황폐해진 농토, 죽고 다친 사람들, 무너진 집들. 백성들의 삶은 매우 고달플 수 밖에 없었지.

그런데 이 상황에서 조선 사회 지배층은 뭘 했을까?
그야 물론….

나라를 지키려고
열심히 노력하지
않았을까요?
나도 정말
그랬길 바라지.
하지만!

그들은 목숨을 보전하기 위해
도망가기 급급했지.
저런 망할
녀석들!
걸음아,
날 살려라!
우당탕탕

요즘으로 말하면 국군인 관병들도 준비가 허술하여
속절 없이 무너졌지.
챙
일본

오히려 나라를 지킨 것은 관병이
아니라 의병이었지.
義

서산대사나
사명대사란 이름
들어 봤지?
그럼요,
훌륭한
분들이죠.

이 스님들은 임진왜란 때 의병을
이끌었던 의병장이었어.
義

사실 조선에서는 불교를
좋아하지 않았어.
유교를
숭상하니
미신적인 불교는
없애야 한다.

오죽하면 성종 때에는 스님들의 한양 출입을
금하기까지 했을까?
개와 중은
출입 금지

그처럼 천대 받던 스님들이 의병을 조직하여 왜적에
대항하여 싸운 거야.
義

그랬으니 전쟁이 끝난 뒤 백성들의 눈에는
지배층이 곱게 보일 리가 없었지.
급할 때는 내뺐다가 다시 돌아와서 떵떵거리는 저 꼴 좀 보소!
이젠 나라가 망하든 말든 나만 살아야지.
왈왈~!

이런 상황이라면 당연히
지배층이 자신의 잘못을 반성
해야겠지?
진심으로 뉘우치고 새로운 마음으로 백성들의 아픔을 달래어…,

그런데 그들은 성난 백성들의 마음을
성리학적 규율로 단속하려고 했지!
그럴 줄 알았지? 흐흐흐흐!
헉!

하나의 예를 들어 보자!
조선 사회는 남성 위주 사회였기
때문에 여자는 두 번 시집갈 수
없었어.

그래서 남편이 죽으면 여성은 평생
혼자서 지내야 했지.
행복 끝, 불행 시작….
신위

하지만 조선 초기만 하더라도 이건 양반에게나 적용되는 것이었어.
아, 그래요? 살았다!

일반 백성들은 여자가
이혼하거나 남편이 죽은 뒤에
재혼하는 것이 문제가 되지
않았지.

그런데 임진왜란 이후, 즉 조선 후기에는 일반 백성들도 여자는 재혼할 수
없게 되었어.
재혼 금지

조선 초기에는
남편이 죽었을 때 부인이
재혼하지 않고 평생을 살면
나라에서 홍살문을
세워 주었지.
홍살문
홍살문이오?

이렇게 생긴 문을
말하는 거야.
효자, 충신, 열녀들이
살던 집 앞에
세워 주었지.

그런데 조선 후기에는 남편이 죽었을 때
자신도 따라 죽는 정도가 되어야 홍살문을
세워 주었어.
며늘아기야,
가문을 위해서
홍살문을 좀 세워
줘야 하지 않겠니?
아버님이나
하세요!

성리학적 규율이 일반 백성들에게도
엄격하게 적용되고 있었지.

그리고 조선 후기에는 상업이
발달하게 되었어.

어린 선비님도 아시다시피 조선 사회는 신분 사회야.
간단하게
사, 농, 공, 상으로
나뉘어 있지.
士
農
工
商
천민

물론 지배층은 사(士), 선비야.
우리가
양반이지.
士

그 다음이 농(農), 농부인데 당시엔
농업을 매우 중시했지.
니들이 밥 안 먹고
살 수 있을 것
같아?

유교의 스승인 공자님이
이런 말씀을 했거든.
농사란
인간 세상의
커다란
근본이다!

그런데 조선 후기에는 상황이 조금 달라졌어.
?

이전의 농업은 주로 자급자족하고 국가에 세금을 바치기 위한 것이었지.

즉 예전에는 농사를 지어서 자신이 먹고 세금을 바치면 되었는데
휴, 세금 내니 요것 밖에 없네….

이제는 처음부터 팔기 위한 농사가 등장했거든.
완전히 상업적인 농사군요.

이런 데에는 두 가지 이유가 있는데
첫째, 농업 기술의 발달로 생산물이 남아 돌았기 때문이야.

따라서 남은 농산물을 팔기 위해 상업이 발달하게 된 거야.
이제 이 논의 쌀은 모두 내다 팔아야겠어.

둘째, 담배 같은 기호 작물을 재배했기 때문이야.

담배를 재배해서 혼자 다 피울 수는 없잖아?
이건 처음부터 내다 팔기 위한 농사인 거지.
담배

그런데 상업이 발달하게 된 데에는 또 다른 이유가 있어.

농사를 지으려면 좋은 땅이 필요한데
잘 가꿔 놔야 작물이 잘 자라지.

두 번의 전쟁을 겪으면서 땅이 엉망이 되어 버렸거든.
피난 갔다오니 땅이 쑥대밭이 됐구나!

다시 개간하면
되지 않을까요?
농작물이
자라려면 1년이
걸리는데 그동안
어떻게 버텨?
꼬르륵!

어쩔 수 없이 살던 곳을 떠나
먹고살 방법을 찾아야 했어.
땅을 팔고
떠나자.
고향

그래서 그들은 싼 물건을 구입해서
이곳은
능금이 싸네!
10개에
닷 푼이오.

그 물건이 귀한 곳으로 가서 팔았지.
싱싱한 능금이
하나에
닷 푼이오!
아니,
그 귀한 능금
아니야?
고급
능금

이러한 과정을 통해서 자연스럽게
상업이 성행하게 되었어.
이처럼
농업이 기반인
조선 사회가
변하고 있었지.

이번에는 대외적인
문제를 이야기해 볼까?

앞 장에서도 말했듯이 내가 살던 때에는 서양의 여러 나라들이
식민지를 개척하는 데 혈안이 되어 있었어.
니네 땅은
우리 땅!

우리 조선도 그들의 눈을 피해갈 수는
없었지.

당시 조선에 들어와 있던 서양 문물의 힘은
무시할 수 없는 수준이었어.

그런데 당시 조선의 지배층은 서양 문물을
오랑캐의 문화라고 무시했어.
오랑캐의 것을 어찌 받아들인단 말이오, 퉤!
=3

하지만 이건 커다란
착각이었어.

내가 살던 당시에 벌써 서양 열강과 일본의 개방 압력이 거세어지고 있었거든.
清
그들의 요구는 우리가 무시할 수 없는 상황에 이르렀던 거야.

나는 이러한 국내적, 국외적 상황에서
내 나름대로의 입장을 세웠어.
변화하는 현실에 능동적으로 대응하자는 것이었지.
현실

국내 사회에서 차츰 중요해진 상업에 대해서
상업을 통해 백성들의 삶을 더욱 풍요롭게 하자!

그리고 서양과의 관계에 대해서는
서양과 능동적으로 교류하여 우리의 시야를 틔우고 조선을 이롭게 하자!
혁신적인 생각인데요.

그런데 나는 세상을 너무 만만하게 본 듯해.
엥?

나는 그들이 조선에게 통상을 요구할 때, 인류애를 가지고 우리와 친구가 되길 바란다고 생각했지.
우리도 개방해서 서로 교류합시다, 하하하!
멍청한 것들, 넌 우리 밥이야.
조선

내가 사람들을 너무 믿은 거지. 휴!

이런 상황이었지만
나는 나름대로 행복하게 살았어.
비록 벼슬은 못 했지만 말야.

그리고 내 아들이 문과에 급제해 벼슬을 했지.
나는 행복한 사람!

자, 내 삶에 대한 이야기는 여기까지 하고 본격적으로 내 책에 대해서 이야기해 볼까?
가자고!

氣學
제3장
참된 학문과 거짓된 학문
참
거짓
학문

자, 이제 제가 쓴 《기학》이라는 책을 소개해 보지요!
!
기학

어렵지만 최대한 쉽게 설명해 줄 테니 겁먹지 말도록!
얼쑤!

사실 어려운 것이라고 재미없는 건 아니거든.
어려울 수록 더 멋지지!
쿵따라 삐야~

오히려 어려운 것을 하나씩 알아가는 것은 재미있는 일이야.

《기학》이라는 책에서 내가 보여 주고 싶은 것을 한 마디로 말하면, '참된 학문'이야.
?
참

그런데 참된 학문이 뭐죠?
알 턱이 있나!

우리가 어떤 물건을 표현하는
방법은 크게 두 가지야.
스피드 퀴즈
0

그 물건을 직접 가리키는 방법과
이거?
사과!
50

여러 가지 설명을 통해서 그 물건을
설명하는 방법이야.
달고 맛있고
차가운 것은?
뭐지?

여기 종이에
보름달을 그린다고
생각해 보게.
전 그림은
젬병이에요.

아마 어린 선비님들은 보통 보름달
색깔이라고 생각하는 물감으로
보름달을 그리겠지.
누런
보름달 색을
칠하고….

그런데 조선 시대 사람들이
보름달을 그리는 방식은
이와 달랐어.
보름달을
직접 그리지
않았지.
아니 그게
말이 돼요?

하얀 화선지에다 검은 묵으로
달 주변을 칠하는 것이지.
앗! 정말
달이 뜬 것
같잖아?

이런 방법을
'홍운탁월법'이라고
하는 거야.
좋다!
그런데 참된 학문
말씀하시다가
그림은 왜?

이런 방식으로
'참된 학문'을
이야기하려고
그러지.
잉?

우선 거짓된 학문들을
말해 보도록 하지.
우선 '형체가 없는 것'에서 출발하는 학문은 거짓이야!

형체가 없다는 것은
이런 걸 말하나요?
꽥!

내가 놀랠 줄 알았냐? 귀신은 검증되지 않은 것이지.
놀래 놓고는!

여기에서 형체가 없다는 것은 사물에 대한
경험에 바탕하지 않았다는 뜻이야.
?
경 험

여기에서 사물이란 일을 가리키는 '사(事)'와 물건이나 물질을 가리키는 '물(物)'이 합쳐진 낱말이야.
事
物

예컨대 사(事)는 학교에서
선생님께 칭찬 받았다거나
우등상

친구들과 축구하다가 다치는 경우를 말해.
이런 것은 하나의 사건, 또는 일이지. 그게 바로 '사'야.
악!

그리고 컵, 연필, 사람, 개, 공기, 물
등이 바로 물건과 물질이지.

그리고 무엇을 보거나 듣거나, 만져 보는 것을 경험한다고 하지.

예컨대 호랑이를 보고, 만지고, 으르렁거리는 소리를 듣는 것을 말하지.

끄악—
앗, 스승님!

헤헤, 이런 경험을
직접 경험이라고 해.
직접 경험하다가
사람 잡겠어요.
야채죽

그래서
간접 경험이란 게
있는 거야.
간접 경험이오?
간접 경험

호랑이를 본 사람에게 이야기를
듣거나 책을 보는 것을 말해.
고양잇과 동물로
큰 것은 4미터에
달하고….
호랑이

하지만 간접 경험은 틀릴 수가
있으니 직접 경험이 더 중요한
것이지.
야옹!
??
호랑이

형체가 없는 학문이란 이러한 사물에
대한 경험에 의지하지 않고
제멋대로 상상하여 만들어 낸 학문을
뜻하는 거야.
생각대로
학문 되고~!
요괴
신선용

《기학》에서는
그것을 '췌마학'이라고
했어.
췌마?
퇴마가
아니라요?
췌!

'췌마'란 제멋대로 상상한다는 의미이지.
이렇게도
할 수 있고,
저렇게도
할 수 있고!
아싸
딩가딩가

생각해 봐. 사물을
경험하지도 않고 제멋대로
상상한다면 무엇이든지
만들어 낼 수 있겠지?

물론 상상력은 풍부하게 할
필요가 있어.
상상력이 없었다면
우리 생활이 이만큼
편리해지지도 않았겠지.

하지만 현실을 제대로
보여 줘야 하는 학문에서
뜬구름 잡는 상상은
조심해야 해!

이런 줴마학이 거짓된 학문인 이유 가운데 하나는 그 내용이 참인지 거짓인지 알 수가 없다는 거지.
참인지?
거짓인지?
똥인지?
된장인지?
쩝!
줴마학

내가 수수께끼 하나 내 볼까?
세상에서 가장 그리기 쉬운 게 뭘까?
꽃? 나비?

그건 바로…, 귀신이야~!
끄아악!
크와아~~

에이, 귀신 그리기가 얼마나 어려운데요.
그래?
너도 놀랐지?

자, 이게 귀신이다!
이게 무슨 귀신이에요.

귀신이라면 이 정도는 되어야죠.
이게 귀신이 아닌 증거 있나?
이히히히히

아니 보통 귀신을 그리면 머리를 풀거나 송곳니가 있거나….
그건 네 생각이고!

어디 귀신을 데리고 와 봐!
쩝, 할 말 없네.

이렇게 귀신이 제대로 그려진 것인지 판단할 근거가 없다는 말이지.
원래 귀신은 요렇게 생겼어.
내가 귀신의 지존이지.
꺼져, 내가 진정한 귀신이야!

이건 굉장히 심각한 문제야.
만약 코끼리를 사자라고 우기면 금방 들통나겠지?

하지만 나같이 세상에 없는 것을 있다고 우기면 아니라고 할 수도 없지?
저게 귀신이래.

조선 시대의 성리학이 바로 이런 학문이었어.

성리학에 대해서도 가르쳐 주셔야죠.
아참! 그렇지.

성리학이란 우리나라의 고려 시대 즈음인 중국의 송대(宋代)에 만들어진 학문이야.
이 학문에서는 세상이 '이'와 '기'로 이루어져 있다고 보았지.
性 理

앞에서도 말했듯이 '기'는 만물을 이루고 있는 것이야.

그리고 '이'란 어떤 사물이 사물이도록 하는 원리이지.
물이 수증기가 되는 원리는….
물의 여행

그런데 재미있는 것은 우리 인간이 태어날 때부터 이미 이를 마음 속에 품고 있다는 것이야.
이

이것이 인간의 본성이라는 것이지.

성리학에서는 인간의 본성이 선하다는 맹자의 사상을 그대로 받아들이는데,
어린아이를 보라! 선하지 아니한가!

그 근거로 제시하는 것이 바로 인간의 본성과 만물의 생성과 운동의 원리인 이가 같다는 것이야.
???
어떻게 같다는 거지?

만물의 운동은 선하고, 이는 이러한 운동을 가능하게 하는 것이며,
理

이런 이에 의해서 만물의 하나인 인간이 생성되므로 인간의 본성도 선하다는 논리이지.
理

문제는 '이'라는 것이 어디에서부터 나왔느냐라는 거지.

나도 이를 무시하는 것은 아니지만, 제대로 된 이는 사물을 경험하여 얻은 거라야 해.
이

즉 '형체가 있는 것'에서 출발해야 한다는 것이지.

그런데 성리학에서의 이는 사물을 경험해서 얻은 것이 아니야.
넌 어디서 왔니?
이

그래서 나는 성리학을 거짓된 학문으로 보는 거야!
뭐이!

네가 지금 성리학을 모욕하는 거냐!
아, 아니 성리학 전체가 잘못되었다는 것이 아니라요….
깜짝!
사대부 모욕하는 최한기는 물러가라!

성리학에서 말하는 인간으로서 해야 할 도리같은 것은 우리에게 아주 유익해.
알긴 아는군!

다만 그 근본이
잘못되었다는 건데….
또!

'이'를 중심으로 하는 성리학의 생각은 조선 후기 백성들의 삶에 좋지 않은 영향을 끼쳤어.
성리학

이를 절대적인 것으로 여기면
현실이 변하더라도 이는 변하지 않고

결국 현실의 변화와 발전을 가로막게 된다는 것이지.

구체적인 예를 들어 주세요.
그래!

성리학에서는 인간이 동물과 다른 이유를 도덕성이라고 보았지.
?
도덕성

남녀가 유별하고 아이가 어른을 공경해야 한다는 것을 동물은 모르지 않는가. 허허허!

그런데 이 도덕성이 문제인 거야!
예?

스승님이 도덕이 필요 없다고 하네. 오예!
그런건 아니지.

내가 인간이 도덕적인 것을 나쁘게 볼 리 있겠어?

도덕의 세부적인 내용은 시대가
변하면서 아울러
변하는 거야.
시간 따라
도덕
출렁!

조선 시대에는 노예가 있었지.
흔히 종이라고 불렀어.

종들은 양반의 소유였어. 사고팔 수
있었고 가축과 같은 취급을 당했지.

심지어는 주인의 명에 따라
목숨까지 왔다갔다 했어.

하지만 어린 선비님들이 사는
시대에 노예가 있다면 어떨까?

현대판 노예가
있다!

30년간 돈 한 푼
안 주고 착취한
악덕 업주가 경찰에
구속되었습니다.
SOS
할아버지의 노동은 계속 되고

이처럼 시대가
변하면 사람들의
생각도 변하며,
도덕도 변한다네.

그래도 이에 의해 결정된
도덕은 변하지 않아!
지아비가 죽으면
수절해야 해!
요즘에
누가 그래요!
정말?

따라서 그러한 이는 사람들에게
무익할 뿐 아니라 해를 끼치게
되는 것이지.
시대
이

또 백성들에게
해를 끼치는
학문 중에
'낭유학'이 있어.
낭유학이오?

'낭유'란 강아지풀 또는 곡식이
자라는 데 방해가 되는 잡초를
말하는데

화나 복, 재앙, 상서로움을 말하여
해롭기만 하고 보탬이 되지 않는
학문을 말해.
잡귀야,
물러가라!
???

이러한 낭유학의
대표적인 것으로는 불교,
이슬람교, 기독교 등
종교를 들 수 있겠지.
뭣이라고?

그건 종교
탄압 아닌가요?
어허, 난
종교가 나쁘다고
한 건 아니야!
씩
씩

나는 땅이 식물의 싹을 틔우고, 꽃을 피우고, 열매를 맺고,
물이 물고기를 길러서 우리가 먹고살 수 있게 해 주는 것에
대해서 마땅히 감사해야 한다고 보았어.

즉 우리가 생명 활동을 할 수
있게 해 주는 모든 것에 대해
감사하는 종교 행위는 옳다고
봤어.

하지만 신을 믿음으로써 자신이 지은 죄에서
벗어나거나, 지옥을 피해 천당에 오르려고
하는 것은 잘못이라는 거야.
네, 두 장 사시면
한 장은 덤입니다.
면죄부 하나
주세요.
면죄부
2+1
사은 행사
면죄부

죄를 지었다면 당연히 벌을 받아야 하는 것 아닌가?
이승에서 지은 죄 저승에서 면하게 해 주세요. 나무아미타불, 알라신, 아멘!

그리고 존재를 확인할 수 없는 천당, 지옥 때문에 기도하는 것은 잘하는 일일까?
제가 천당과 지옥의 위치, 거리를 알려 드리겠습니다.

그리고 이슬람교에서는 예배 의식이 너무 많아서 좀 힘들기도 하지.
하루 다섯 번 메카를 향해 절 하는 거야. 쉬워!
왜 나한테?

하루에 다섯 번씩이나? 그리고 메카가 어느 방향인지 어떻게 알아요?
믿음이 강하면 뭐든지 알 수 있지.
구우우 웅

이들 종교 역시 앞에서 말했던 사물을 경험해서 나온 학문이 아니지.
그것을 알려 주마!

신이나 천당, 지옥은 누구도 경험해서 말한 것이 아니며,
지옥에서 살아 돌아왔다!
으악!

그것이 있는지 없는지를 말할 수도 없잖아?
엄마, 나 제대했어!
지옥에서 돌아왔어요!
와락

심지어는 기독교가 지배했던 서양 중세에는 바늘 끝에 몇 명의 천사가 올라가는가라는 문제로 논쟁을 했어.
저는 천사를 본 적이 있어요.
그럼요, 바늘 끝에 5명이 올라가죠.
나만 천사를 못 본 거야?

거짓된 학문은 형체가 없는 것을 바탕으로 하며,
?
거짓~

백성들에게 유용하지도 않아.

이처럼 형체가 없는 것을 다른 말로 '허(虛)'라고도 하지.
텅!

이때 '허'란 비어 있다는 걸 말해. 허언이란 말 들어 봤지?
헛소리?
虛言

그럼, 거짓된 학문은 허학이겠네요.
실제로 도교나 불교를 허학이라고 했지.
허허허 허허 허허

이와 반대로 현실, 즉 '실'에 근거한 학문은 무엇일까?
현실

허의 반대는 실?
그래, 바로 실학이야. 다산 정약용 선생님이 실학자이시지.
實

조선 후기 실학하면 아래와 같은 글로 설명하곤 하는데
실사구시 : 사실을 통해서 진리를 탐구한다.
경세치용 : 세상에 쓸모있는 학문을 한다.
이용후생 : 백성의 삶을 나아지게 한다.

사실 실학이라는 말은 그 전에도 있던 말이야.
실학

성리학을 완성한 주희도 자신의 학문을 실학이라고 하였고,
성리학은 실학이다!

조선의 성리학자 이이도 자신의 학문을 '실학'이라고 하였네.

그렇다면 실학의 본래
의미는 무엇일까?
실학實學

실이란 열매,
알맹이라는 뜻이야.
즉 알맹이가 있는,
비어 있지 않은
학문이지.

다시 말해서
참된 학문이라고
할 수 있지.
그러면
기학도?

참, 그렇게
바로 이야기하면
쑥스럽지!

그럼 여기에서 '기학'은 무엇이며
기학에 속하는 학문에는 무엇이
있는지 자세히 살펴보도록 하자.
기 학

앞에서 말한 것처럼
참과 거짓을 나누는 기준은
사물에 대한 구체적
경험이야.
경험

결국은 나와 우주를 이루고 있는 기에 대한 구체적
경험에서 출발하는 거지.

이러한 학문은
형체가 있는 것에서
출발하므로,
바로 기학인 것이지.
그렇죠!
기학은 경험에서
출발하니까.

기학은 형체가 있는 것에서
출발하므로 옳은지
그른지 판단할
수 있어.
뭐가 보여야
알지?
나 어때?

다른 하나의 기준은
그 학문이 백성들에게
유용한 것인가이지.

아무리 그럴싸한 것이라도 현실의
문제를 해결할 수 없다면 소용 없어.

그래, 추(推)는 미룬다는 의미이고, 측(測)은 헤아린다는 의미야.

推測

이 책은 나중에
《신기통》과 합쳐져서
《기측체의》라는 책이
되지.
기측체의

이 속에서 나는 인간이 사물을 알아나가는
과정을 말했어.
그 과정에서
중요한 것이 바로
경험과 추측이라는
거야.
경험
추측

우선 사물을
경험한 뒤!
경험
경험한 후!
얼쑤!
추측

그리고 그 사물에 대한 경험을
미루어 그 사물의 원리를
헤아리지.
원리

그런 다음 한 사물의
원리를 미루어서
우주 만물의 원리를
헤아리는 거야!
??
?

역시
예를 드는 게
좋겠지?
네!
예

개를 예로 들어 보자.
왈!

요즘은 다른 나라에서 온 외래종이
매우 많더군.
왈?
끼잉!

우리 집에 진돗개 한 마리가 있다고 해 보자.
이름이 똘구가
뭐야, 똘구가!
똘구야!

그리고 매일 밥을 주고, 돌봐 주면서
개에 관한 지식을 쌓게 돼.
네 후각은
인간의 백만 배나
된다며?
네 옆에만 있어도
점심에 뭘 먹었는지
맞힐 수 있지.

그리고 그러한 지식으로 미루어 결국은 진돗개의 성질을 알게 되지.
개는 이렇게 생겼구나. 사람도 잘 따르고….
개의 진실

뿐만 아니라 그 진돗개의 성질로 미루어 결국은 개 전체의 특성을 헤아리게 되지.
넌 아니걸랑!

어, 저건 뭐지?

자세히 보니 개로구나!!

이렇게 하나하나의 사물을 경험하고, 경험한 것으로 미루어 그것의 원리를 아는 것을 추측이라고 하는 거야.

지금까지 참된 학문과 거짓된 학문에 대해서 간단하게 말했는데,
허학
낭유학
췌마

요컨대 경험과 추측에 의해서 이루어진 학문이 바로 참된 학문이라는 사실을 잊지 말기를 바랍니다.
경험
추측

거기에 덧붙여서 그 경험은 기로 이루어진 사물에 대한 경험이고 말이지.
기

그렇다면 이제야말로 '기'가 무엇인지 말할 때가 된 것 같구만.
엥?

멍~!
그것은 다음 장에서 말하도록 하지.

氣學
제 4장
'기'란 무엇인가?

이미 1장에서 말했듯이, 내가 소개하려는 《기학》의 주제는 '기'야.
기

그런데 '기'는 설명하기 쉽지 않아.

그래서 우선은 우리가 일상 생활에서 흔히 사용하는 표현을 통해서 기가 무엇인지를 알아보자고.
생활
기

우리가 가장 쉽게 걸리는 질병이 뭘까?
감기요!

맞아. '감기'지. 감기가 무슨 뜻일까?
자는 척
드르렁!

감기는 느낄 감(感)과 기운 기(氣)를 합친 것으로, '기운을 느끼다'라는 뜻.
아프면 기를 느낄 수 있다고?

너무 어렵나?
그럼
쉬운 것부터!
은근히
무시하시네.

이번에는 어린 선비님이 잘 알고 있는 '공기'를 말해 볼까?

공기는 한자
빌 공(空)과
기운 기(氣)를 합쳐서
만든 것이야.
空氣

말 그대로 해석하면
'비어 있는 기'라고
할까?
그게 도대체
뭔 말이에요?

벌거벗은 임금님
흉내 내시는
거예요?
딴소리 말고
저기 하늘
한번 쳐다봐.

하늘을 보니
어떠신가!
텅 비어 있지?
으악!

그래서 빌 허(虛)에
빌 공(空)을 써서
'허공'이라고도 했어.

그런데 그 허공이
정말 텅 비어 있나?
비어 있다뇨?
산소와
이산화탄소가
있는데.

그렇지, 공기에 그런 요소들이 없다면 우린 숨 쉬며 살아갈 수 없을 거야.
헉헉!

공기란 이처럼 텅 비어 있는 것같은 허공을 채우고 있는 것이지.
흠~!
아, 이 맑은 공기!

여기에 대해서는 조선 초기의 학자 화담 서경덕 선생에 대해 말을 안 할 수가 없구만.

이분은 나처럼 기를 중요하게 생각하여 기에 중심을 둔 철학을 말씀하셨지.
에, 기를 설명하자면….

허공이 마치 텅 비어 있는 것 같지만,

사실은 '기'로 꽉 채워져 있지.
기요?

그런데 왜 우리는 볼 수 없는 걸까요?
눈에만 보이지 않을 뿐!

자, 이게 뭔가?
부채이옵니다, 스승님.

자, 이렇게 부치면 어떠한가?
좋아요, 좀 더 세게!
파닥 파닥

장난해, 지금!
제가 부치라고 한 적 없습니다!

부채로 부치면
왜 시원할까?
왜 바람이 불까?

그건 공기 속에 어떤
요소가 있기 때문에
부채가 그것을
때리는 것 아닌가?
우아!
퉁!

만약 공기가
비어 있다면 부채를
부쳐도 바람이 일 리
없지 않은가?

공기는 빈 듯하지만 꽉 차 있는 거야.

비어 있는 듯하면서도
그 속을 꽉 채우고
있는 것들, 이것을
기라고 하는 거야.
꽉 찬 공기
한 컵
잡수세요!
기
기

뿐만 아니라
내 몸뚱이도 기로
이루어져 있지.
우리
몸도요?

우리 몸은 세포로 이루어져
있지.

그런데 그런
세포는 무엇으로
이루어져 있나?
더 쪼개면,
분자,
원자요.

그렇지! 사람의 몸도 공기와
같이 기가 모여서 된 것이지.
기

다시 감기로
돌아가 보도록
할까?
아, 맞다!
콜록!

우리는 평상시에 기를 들이마시고
내뱉으면서도 건강할 때에는 의식하지
못하지.

내 몸이 기로 이루어져 있다는
사실조차 까맣게 잊고서 생활해.
나는
강철 인간!
몸
짱!

하지만 건강이 안 좋아지면 어떤가?
왜 갑자기
목이 칼칼하고
열이 나지?
쿵

독감이네요.
몸 관리 좀
하셔야겠어요.
예?
허약해!

평소에는 있는지 없는지조차 느끼지 못 하고 살았던
내 몸 곳곳을 느끼게 되는 거야.
갈증이 나고,
숨쉬는 것조차
힘들어….
쿨럭쿨럭~ 헥헥!

바로 기를
느끼는 것이지!
그게 바로
'감기'이군요!

우리는 '감기'와 '공기'라는 낱말을 통해서
우리 몸과 만물을 이루는
재료로서의 기를
이해할 수 있어.
요약하면
기는 만물을
이루는 재료라는
것이야!
기

이런 기는
끊임없이
움직이는
성질이 있지.
깜짝!

세상엔
변하지 않는 게
있잖아요?
움직이지
않는 것처럼
보일 뿐.

사실은 끊임없이 움직이고
있어.
별의 일생

그런데 우리 몸이 정말 움직이지 않을
때가 있지.

몸이 너무 약해졌거나, 큰 충격을 받았을 때 갑자기 쓰러진 때를 말해.
위험해요!

이걸 기가 끊겼다고 해서 '기절(氣絕)'이라 하지.
氣絕

또 '기가 막히다'라는 것도 있지.
기막혀!
상대는 40대
미녀배우최양결혼

어이없고 놀라운 일에 쓰는 단어로 기와 관련있지.
나의 천사 최양이!

사람의 기는 끊어지거나 막히면 안돼.

무슨 말인지 잘 모르겠지? 여기에서 실험을 하나 해야겠군.

혹시 팔 다리가 삐끗해서 한의원에 가서 침을 맞아 본 적이 있나?
아뇨!

주사 한 방도 무서운데 침은 여러 개 놓잖아요.
흠, 그렇게 무섭냐?

만약 어린 선비님들이 밥을 급하게 먹었거나 많이 먹으면
내가 좋아하는 고기다!

배탈이 날 거야.
끙끙끙…. 배가 왜 이렇게 아프지?

이럴 땐 엄지와 검지 두 손가락의 뼈가 만나는 곳을 눌러 봐.

아얏!
만약 체했다면 이곳이 몹시 아플 거야.

이곳이 한의학에서 '합곡'이라고 부르는 혈 자리야.
어? 그곳을 누르니까 배가 편해졌어요.

뱃속이 불편한데 왜 거길 누르는 걸까?
신기하네!
또 먹어야지!!

그것은 우리 몸을 흐르고 있는 기를 가지고 설명할 수 밖에 없어.
기

한의학에서는 기가 우리 몸에 흘러 다니면서 신체의 각 부위와 장부들을 연결하여, 우리 몸의 생명 활동을 가능하게 해 준다고 해.
기

그렇다고 기가 아무 곳에나 흘러 다니는 것은 아니야. 기가 다니는 일정한 길이 있지.
기

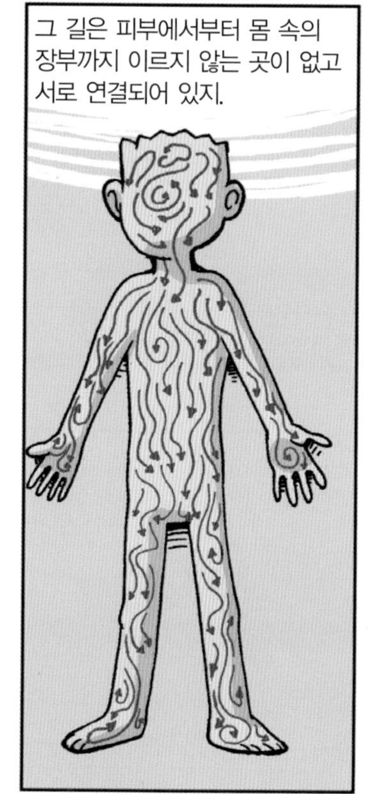
그 길은 피부에서부터 몸 속의 장부까지 이르지 않는 곳이 없고 서로 연결되어 있지.

그런데 기가 흘러 다니는 길은 대부분 몸 속 깊이 숨어 있어서 우리가 볼 수 없어.
어디 길이 있다는 거지?

그 길 가운데에서 피부나 근육에 흐르는 길을 경락(經絡)이라고 하지.

경락을 살펴보면 몸 속 장부의 상태를 알 수 있어.
설마요?
간이 안 좋아!
술고래

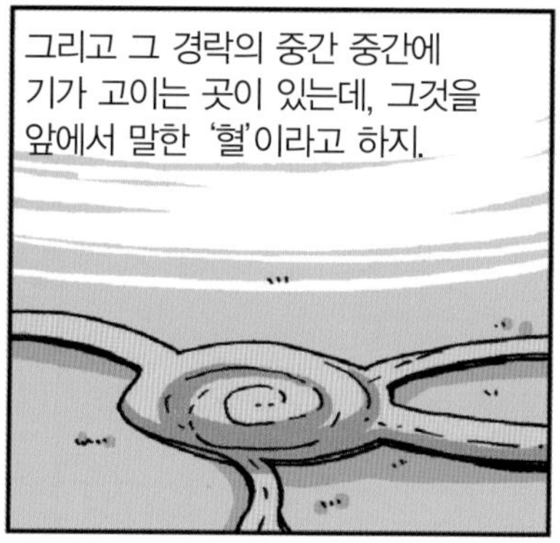
그리고 그 경락의 중간 중간에 기가 고이는 곳이 있는데, 그것을 앞에서 말한 '혈'이라고 하지.

'혈(穴)'이란 구멍이라는 뜻으로서 이 자리에 침을 놓거나 뜸을 뜨지.
아, 뜨거!
좀 참아!
뿡~

재미있는 이야기 하나 해 줄까? 한의학은 중국의 전통 의학에서 영향을 받아서 한반도에서 발전시킨 것이지.
경락과 기
또 샛길로 가시네!

그 대표적인 인물이 《동의보감》을 지은 허준이야.
줄을 서시오!

한의학에서는 몸을 흐르는 기의 길인 경락에 대해서 결코 의심하지 않았어.
경락은 있다!

하지만 근대 서양 의학에서는 이것을 믿지 않았어.
경락? 그게 뭡니까?
?

우리는 사람의 몸을 해부까지 해 봤는데 그런 길은 없더군요. 정신 차리세요!

근대 서양 의학은 인체를 해부해서 얻은 지식으로 생긴 것이거든.
으흑, 무셔….

해부란 죽은 사람의 몸을 칼로 갈라서 그 안의 장기를 하나하나 살펴보는 거야.

실제로 어떤 학자가 몸을 해부해서 경락을 살펴보려고 했는데, 결국 실패하고 말았지.
뭐야, 없잖아!

그래서 그 학자는 경락이라는 것은 없다라고 결론을 내렸어.
기자 회견
경락 같은 건 없습니다. 동양 의학은 헛다리 짚은 거예요.

하지만 이 학자는 치명적인 실수를 한 거야.
내가?

경락은 살아있는 사람에게만
있는 것이거든!
기는 순환하는 곳에
있는 거야.

기는 온몸에 흐르면서 인간의
생명 활동을 가능하게 해 주는 거야.
기

그리고 이러한 생명 활동을 가능하게
하는 기가 흩어지면 인간은 죽는
것이지.
기

그런데 해부란 죽은 신체, 즉
시체를 가지고
하는 것
아닌가?
죽은 닭
뱃속에서 계란
찾으려는 거지.

인간의 생명 활동을 가능하게 하는
기가 떠난 상태에서 기가 흘러
다니는 길을 찾을 수는 없는 것이지.
기

다시 '기절'에 대해 알아볼까? 이처럼
기가 흐르는 길인 경락은 온 몸을
연결하면서 기가 흐르도록 해.

그런데 그 길이 끊기면
어떻게 될까?
기
기

당연히 정신이 없고, 몸을 가누지
못하는 거지.

기가 막혀 버리면 소통을
못 해서 큰일이 나겠지.
허걱!
복권당첨
135911번
135910
꽝

2~3세기 무렵에 중국의
허신(許愼)이라는 사람이 쓴
《설문해자(說文解字)》라는 책이
있어.

이 책은 일종의 어휘 사전인데, 어떤
글자의 원래 모습이나 원래의 의미가
무엇인지를 알려 주는 책이지.
人
牛

'기' 라는 글자는
원래 요렇게
생겼다고 한다네.
구름같이
생겼네요.

맞아, 이 책에서도 '기'라는 글자가 원래 구름을 나타낸다고 했지.

그렇다면 구름의 어떤 성질이 기와 닮았을까?
둥실둥실 뜨는 것?
솜사탕

구름은 모양에 따라 이름이 달라. 어떤 구름이 있는지 볼까?

구름은 모양이 아주 다양하지?
양떼구름, 비구름, 안개구름, 새털구름, 비늘구름, 뭉게구름….

결국 구름은 정해진 모양이 없다는 거지.
내 모양은 나도 몰라.

그리고 어떤 구름은 서서히, 혹은 순식간에 없어져 버리기도 하지.

그런가 하면 구름 한 점 없는 파란 하늘에 갑자기 하얀 뭉게구름이 나타나기도 해.

있다가 없어지고, 없다가 생기는 것.
이것을 있다고 할까, 없다고 할까?

기의 옛날 글자 중 하나는 '气'인데, 이것은 현대 중국에서도 여전히 사용하고 있어.
气=氣
气

이 글자 역시 원래는 구름을 말하는데, 그와 함께 수증기(水蒸氣)를 상징하기도 해.
우린 친구거든!

이걸 보면 옛날 사람들도 구름에 대해서 잘 알고 있었던 것 같아. 수증기란 땅 위의 물이 증발한 것이잖아.
수증기는 하늘로 올라가고, 그러한 수증기가 많이 모인 것이 구름 아닌가!

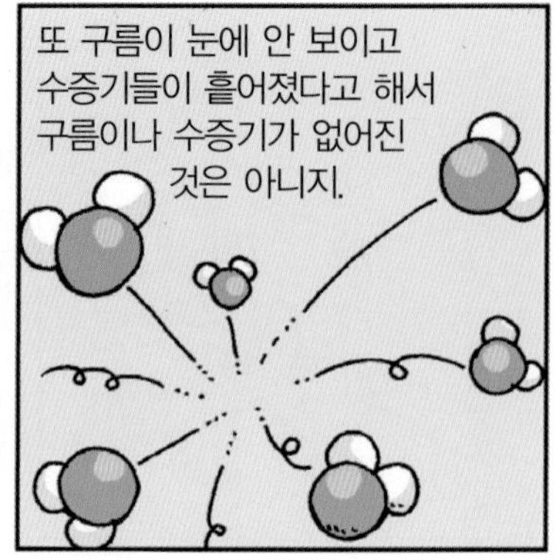
또 구름이 눈에 안 보이고 수증기들이 흩어졌다고 해서 구름이나 수증기가 없어진 것은 아니지.

이렇게 당시 사람들이 '기'를 가장 쉽게 볼 수 있었던 것이 수증기나 구름이었던 모양이야.
딱 알맞은 예인데요!
넌 수증기가 아니잖아?
뿡!

기가 등장한 최초의 책은 인간의 삶과 죽음을 설명한 《장자》야.

이 책에는 바다 속의 아주 큰 물고기인 곤(鯤)에 대한 이야기가 실려 있지.
장자

사실 이 '곤'이라는 한자의 의미는
바다에 사는 아주 작은 물고기의 알이라네.
저것이
곤의 어미?
뽕

가장 작은 것을 가리키는
글자로 가장 큰 것의 이름을
지은 것이지.
작은
거인?

마치 키가 2미터가 넘고
몸무게가 100킬로그램이 훨씬
넘는 사람을 '땅꼬마'라고
부르는 격이지.
거인
약골

자, 그럼 《장자》에
나오는 '기'에 대해서
이야기해 볼까?
장자

《장자》라는 책의 주인공은 장주라는 인물일세.

어느 날 장주의 아내가
죽었어.

그 소식을 들은 장주의 친구 혜시가
조문하러 찾아갔지.
몹시 슬퍼하고
있겠군.

그런데 혜시가 도착해 보니,
놀라운 상황이 벌어지고 있었어.
응?

아내의 죽음을 슬퍼하고 있어야 할 장주가 항아리를
두드리며 노래를 부르고 있었어.
이봐! 장주!
자네 미쳤나?
♪♪ 라라라♪
라라♪

당장 그만두지
못 해!
아, 혜시!
자네 왔는가?

그러자 장주는 이렇게 대답했어.
아내가 죽으니 처음에는 나도 슬퍼했지.

그런데 가만히 생각해 보니 슬퍼할 일이 아니더란 말일세.

내 아내는 원래 없던 존재인데, 기가 모여서 된 것이 아닌가?

그런데 지금은 죽어서 기가 흩어져서 원래 없던 상태로 돌아갔어.

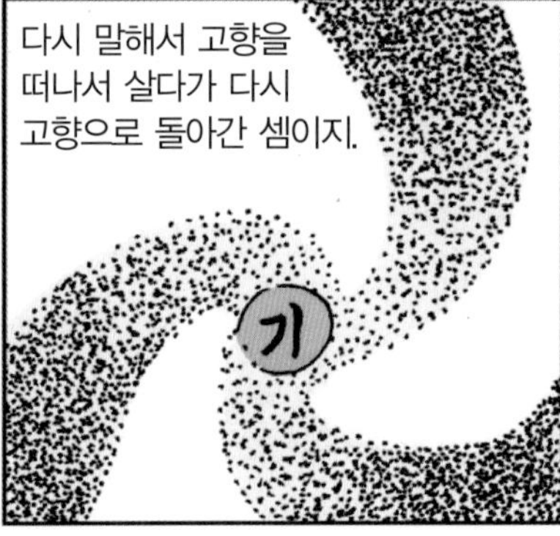
다시 말해서 고향을 떠나서 살다가 다시 고향으로 돌아간 셈이지.
기

그렇다면 고향으로 돌아간 내 처를 위해서 기뻐해야 할 일이지, 슬퍼할 일이 아니지 않은가?
쩝!

어린 선비님은 이에 대해 어떻게 생각하시는가?
비정한 남편 아닌가요?
장자

그래, 그렇게 말할 수 있겠지. 《장자》에는 이처럼 언뜻 보아서는 말도 안 되는 사건들이 너무도 많아.
엉뚱함으로 현실을 꼬집는다오.

어쨌거나 장주의 이러한 말은 기가 모이고 흩어져서 만물이 생성되고 소멸된다는 것을 보여 주는 것일세.

이것을 장재(張載)와 서경덕(徐敬德)이 체계화했어.

장재는 북송 사람이고, 서경덕은 조선 사람인데, 두 사람은 이런 상태를 '태허기(太虛氣)'라는 말로 정리했어. '태허'란 글자 그대로 크게 비어 있다는 건데 사실 꽉 차 있다는 뜻이야.
꽉!
太虛氣

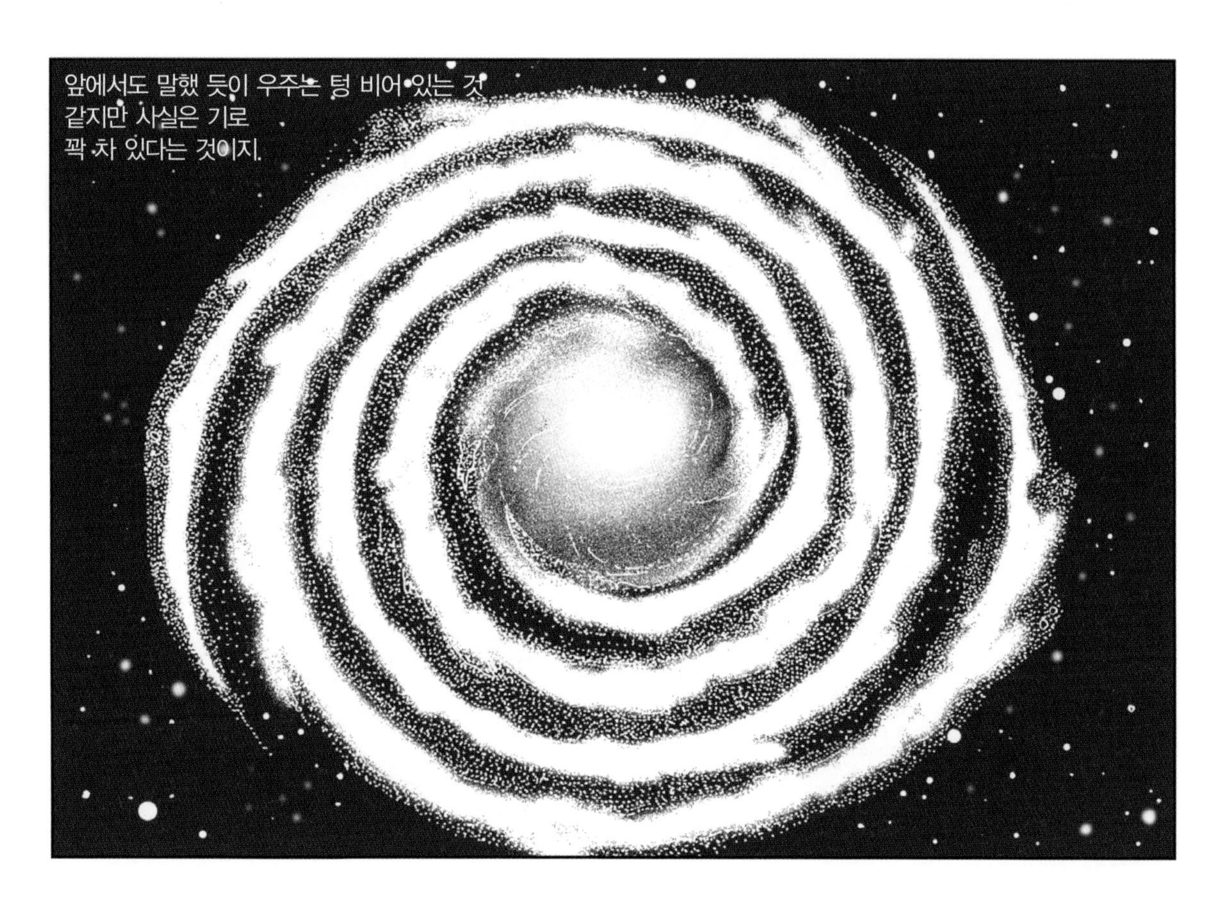
앞에서도 말했 듯이 우주는 텅 비어 있는 것
같지만 사실은 기로
꽉 차 있다는 것이지.

이처럼 비어 있는 것 같은 우주를 채우고 있던 기가
뭉쳐져서 현재 우리가 사는 세상과 만물을 만든 것이야.

그리고 기가 흩어지면 다시 텅 비어
있는 듯한 상태로 돌아가지.

우주, 만물뿐 아니라, 인간도 이 세상에 없다가 기가 뭉쳐져서
생겨나고 결국에는 기가 흩어져서 없어지는 것이지.

이처럼 기의 모임과
흩어짐으로 생성과 소멸,
삶과 죽음을 설명하는 것은
장주, 장재, 서경덕
모두 마찬가지야.

그렇다면 이러한 기가 모이고
흩어지는 이유는 무엇일까?
그걸 제가
어떻게 알아요?

다시 말해서 기가 모이고 흩어지는
운동을 하는 것은 무엇 때문일까?
이유가 뭐야?
심심해?
기

그 이유를 우리
주변에서 한번
살펴보자!
?

움직이는 물건이
있다면, 그 물건이
움직이는 이유가
분명히 있을 거야.
왜 남의
방을
뒤져요?

여기 축구공이 있다고 해 봐.

그 축구공이 움직인다면, 여러분이나
친구들이 그 공을 차거나 던졌기
때문이겠지.
어떤 놈이야!

이처럼 모든 물건은 움직일 때
그것이 움직이도록 하는
원인이 있어.
뻥!

그런데 우리 인간은 어떨까?
누가 시켜야
숨을 들이쉬고
내쉬나?
설마?
하~!

만약 그렇다면 우리가 우리의
생명을 유지하는 게 상당히
번거로울 거야.

개와 고양이도 스스로 움직이며,
숲 속의 나무들도 스스로
영양분을 흡수하고
자라지.

이처럼 누군가 시키지 않아도 스스로 그렇게 하는 것,
저절로 그렇게 되는 것을 우리는 '자연(自然)'이라고 해.

'자연'이란 '스스로, 또는 저절로'를 뜻하는 자(自)라는 글자와 '그렇게 되다, 그러하다.'라는 의미가 있는 연(然)이라는 글자를 합친 것이거든.
스스로 잘 되는구나!
쏴아!

생명이 없는 사물들은 누군가가 움직이도록 해야 운동하지만,
시동 걸고!

생명이 있는 것들은 누군가 움직이지 않아도 '자연스럽게' 움직이지.

기의 운동도 이처럼 자연스럽게 이루어지는 것이야.
전 자연스럽게 자랐어요.
부모님의 노력은?

장재와 서경덕은 텅 비어 있는 듯한 태허 상태에서 기가 모여 만물을 이루며

만물을 이루는 기가 흩어져서 다시 태허 상태로 돌아가는 운동이 저절로 일어난다고 보았어.

물론 이 두 사람의 생각에도 차이가 있지.

장재는 이러한 기의 운동이 어쩔 수 없이, 그렇게 할 수밖에 없어서 일어나는 것이라고 했지.
어쩔 수 없이 그냥 그렇게 돌아가는 것이지요.

그에 비해서 서경덕은 기의 운동이 그렇게 하지 않을 수 없고, 또한 스스로 그렇게 할 수 있기 때문이라고 했어.
자신의 뜻대로 가는 것이오!

좀 더 정리해 보자면, 장재가 기의 운동을 피동의 성격이라고 보았다면,

서경덕은 기의 운동을 피동의 성격뿐 아니라 능동의 성격도 있다고 보았다는 말이야.

그래서 우주를 이루는 틀 자체가 그처럼 운동하게 되어 있다고 했지.
능동적

내 학문 체계는 이 두 사람에게서 직접적인 영향을 받지는 않았어.
서경덕

그러나 조선 후기에 기를 바탕으로 학문하는 사람에게는 일반적인 생각이었어.

여기에서 중요한 한 마디를 해야 하겠는데,

기를 바탕으로 하여 학문한다는 것은 이 세상에는 '기'만이 있다고 주장했다는 말이거든.
기
기
기
기

그런데 성리학에서는 이(理)와 기(氣)를 가지고 이 세상을 설명한다고 했잖아.
저건 또 뭐야?
이
기

이러한 성리학에서는 '이'를 절대적인 것으로 보지.
이

따라서 성리학의 입장에서 본다면 기의 운동은 이가 시켜서 이루어진 것이라고 해.

하지만 우리의 생각은 달라.
이 같은 건 없어!
장재
서경덕
최한기

'이'라는 것은 기가 움직이는 원리가 무엇인지를 말하는 거야.
둥그니까 굴러간다!

고로 '기'가 존재하는 것처럼 참으로 있는 것은 아니야.
둥글면 굴러간다는 원리가 현실에 있는 건 아니지.

기가 있다면 기의 움직임은 당연히
스스로, 저절로
이루어지는 거야.
통통!

만약 기를 움직이는 무엇이 있다면,
그것은 기보다 우선적으로 있는
것으로서 기의 주인이 되는 것이지.
뭐냐?

이런 생각을 일반적으로 우주를 이루는 근원은 하나의 기일 뿐이라는 의미로,
'기일원론(氣一元論)' 이라고 해.
氣

나는 이러한 기일원론을 주장하는 학자 중 하나라네.
그리고 장재와 서경덕 역시 기일원론을 주장해.

내 생각은 이 두 사람 중 서경덕의 입장에 가까워.
내가 보기에, 기의 운동은 피동의 성격만이 아니라 능동의 성격도 갖거든.

특히 인간을 이루는 기는 스스로
능동적으로 운동하고 변화하지.
7
44
398

이러한 기의 운동과 변화는 내가
《기학》에서 말하는 기의 성질이야.

그렇다면 기의 운동과 변화에 대해 더 자세히 알아보러 갈까?

제5장
'기'는 운동, 변화한다
氣學
氣
기

자 이제부터 나만의 독특한 '기학' 을 어린 선비님에게 본격적으로 소개하도록 하지.
이야~!

나는 기를 형질(形質)의 기와 운화(運化)의 기 두 가지로 나누었어.
기가 두 가지예요?

아니! 우주를 이루는 기에는 두 가지 성질이 있다는 것을 말한 거야.

형질의 성질과 운화의 성질은 무엇인가요?
음, 뭐라고 해야 하나?

역시 예를 들어야겠군. 우선 자기 소개를 한번 해 볼까?
예? 자기 소개요?

저는 15세의 잘생긴 소년으로 착하고 농구를 잘합니다.
뭐?

'잘생긴'은 빼!
잘생긴 게 죄라면 죄지요.
왜 거짓말이야?

자, 보자! 여기에서 나이, 성격, 취미는 다 어린 선비님을 설명한 거잖아?
그렇죠. 잘생긴 것도.
탁탁

15세의 소년과 잘생긴 사람과 농구 잘하는 사람이 따로따로 있는 건 아니지.

이처럼 기를 두 가지로 나눈 것도 이와 마찬가지라네.
그럼 형질과 운화는 어떤 성질인가요?
아하!
형질의 기
운화의 기

형질이란 형태와 물질이라고 할 수 있을 거야.

어떤 사물이든지 그 생김새가 있고 그것을 이루는 물질이 있을 것 아닌가?
석고상이군.

그러니까 형질의 기란 사물을 이루는 물질과 형태로서의 기를 말하지.
사물을 이루는 재료란 말씀이야.

사실 기의 성질은 대단히 많아.
왜 하필 형질?

형체가 있는 학문이 진짜 학문이다. 아까 3장에서 말씀하셨죠?
옳거니!

학문은 무엇보다도 현실의 경험에 기초한 학문이어야 한다고 했었지?

그런데 여기서 말하는 경험은 형질의 기가 없어서는 안 되는 것이야.
예를 들어 양에 대해서 공부한다고 생각해 보자.
羊

가장 쉬운 공부 방법은 직접 보는 방법이지.
아하, 이거구나!

그러기 위한 첫 번째 조건은 무엇일까?
?

우선 양이 있어야겠지?
매애애!

그리고 또 무엇이 필요할까?
또?

우리 몸! 즉, 눈이 있어야 하지!
난센스 퀴즈예요?

이렇게 경험을 얻기 위해서는 '사물'과 우리 '몸'이 있어야지.
네가 양이구나!

그리고 사물과 몸을 이루고 있는 재료로서의 '기', 즉 형질의 기가 있어야 해.
재료가 있어야 만들 수가 있지!
기

그런데 운화의 기를 왜 중시했을까?
글쎄요.

나는 학문이 구체적인 현실에서 출발해야 한다고 봤어.
이런 자연에서부터 말이죠!

그런데 내가 보았을 때 이 세상은 끊임없이 운동하고 변화하고 있거든.
氣

끊임없이 운동하고 변화하는 기에 의해서 구체적 현실이 이루어지지.
빙글빙글 돌아가는 세상!

그래서 기의 운화하는 성질을 중요하게 다룰 수 밖에 없지.

그런데 내가 왜 특히 운동 변화에 관심을 가졌을까?
그건 내가 살던 시대와 관련이 있지.

19세기 조선 시대는 사회 안팎으로 빠르게 변화하고 있었거든.
이런 상황이니 변화는 나의 관심거리가 되었지.

나는 기의 운동과 변화의 성질을 설명하기 위해서 '운화(運化)'라는 낱말을 사용했어.

이 말은 나 이전의 학자들도 간혹 쓰기는 했지만 나처럼 중요하게 쓰지는 않았지.
운화 최고!

사실 '운화'는 '활동운화(活動運化)'를 줄여서 쓰는 말이야.
활 동
운 화
활동을 붙이니까 멋진데요!

'활동운화'는 '활', '동', '운', '화'라는 방식으로 한 글자씩 떼서 설명할 수도 있고, 이들을 붙여서 한 덩어리로 설명할 수도 있어.

활동운화를 한 덩어리로 보면, "생생한 기운(生氣)이 항상 움직이고(常動)

두루 운행(周運)하여 크게 변화한다(大化)"라는 거야.

여기에서의 '생생한 기운'이란 기가 마치 살아 있는 생명체와 같다는 것이지.

그리고 '항상 움직인다'는 것은 앞의 생생한 기운과 연결되어, 생명체가 항상 운동하고 있는 것처럼 기 역시 그렇다는 거고.
氣

그런데 멈출 때도 있잖아요. 쉴 때도 있고….
어허, 아까 말했잖나!

멈추는 것도 움직임의 과정이라니까.

우리가 정말 멈추는 때는 죽었을 때 뿐이라고!
헉!

사실은 그것도 아니지,
죽은 뒤 살이 썩어서 우리는
자연으로 돌아가니까.
계속 움직이는 거지.
으악!

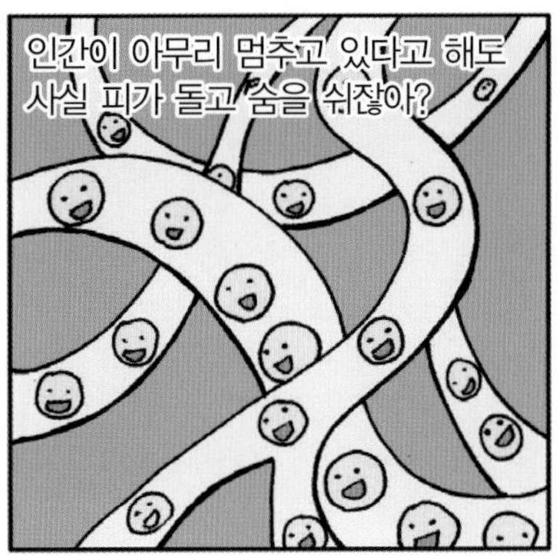
인간이 아무리 멈추고 있다고 해도
사실 피가 돌고 숨을 쉬잖아?

숨을 한번 멈춰 봐!
몇 분이나 참을 수
있는지.
읍!

인간이 겉으로는 움직임을
멈춰도
진짜
동상 같다!

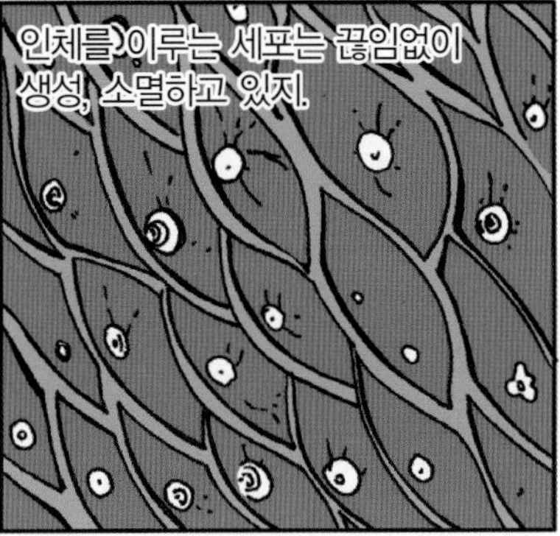
인체를 이루는 세포는 끊임없이
생성, 소멸하고 있지.

나는 만물을 이루는 기가
이처럼 끊임없이 움직이고
있음을 '항상 움직인다'라고
설명했어.
항상
움직인다.

그리고 '두루 운행한다'는 말은 '생생한 기운'이
우주 곳곳을 빠짐없이 운행한다는 거야.

앞장에서도
설명했지만 기는
우주 만물을
이루고 있지.

이러한 운행에서
제외되는 사물은
있을 수 없어.

만물은 기로 이루어지기 때문에 기의 운행이
없이는 사물이 생성될 수 없지 않겠나?
췌마학이군.
하지만 귀신은
기와는 상관 없이
태어났는걸.

뿐만 아니라 이러한
기의 움직임과
운행은 결국은
변화를 만드는
거야.

이것이 바로 '크게 변화한다'는
것이지.
커지다가 뻥
터지는 거야.

인간이 움직임을 멈춘 것 같아도
인간을 이루고 있는 세포는 끊임없이
생성하고 소멸하잖아.

다시 말해서 한 인간을 이루는
세포는 계속 달라지지.
우리는 결코
쉬지 않아!

그에 따라서 내 몸도 변화하고 있지.

이 변화는 매우 느리게 진행되어
평소에는 잘 모르다가도
어린 녀석이…,
돈 내놔!
흑흑….
콩

어느 순간에 그 변화를
실감하게 되지.
이제 보니
땅꼬마잖아.
누구시죠?
나 몰라?

이처럼 우리 인간은 모두 차츰 변화하여
성장하고 늙어가다가,

결국은 죽어서 다시 우주의 기로 돌아가는 것이지.
氣

예컨대 개는 인간보다 성장 속도가 빨라서
Zzzz

변화를 관찰하기 쉽지.
으흐흑…,
안 돼, 똘구야!
주인님….

반면 우뚝 솟아 있는 백두산 같은 경우에는
변화 기간이 길어서

그 변화를 관찰하기가
쉽지는 않지.
내가 50년 동안
지켜봤는데 변한 게
없어.

하지만 우리가 관찰하건 관찰하지 못하건
모든 것은 변화하는 거야.
콰앙

이러한 '활동운화'는 한 글자씩 나눠서 설명할 수도 있다고 했지?
활
동
운
화

'활'은 '생생한 기운'으로,
活

'동'은 '항상 움직임'으로,
動

'운'은 '두루 운행함'으로,
運

'화'란 '크게 변화함'으로 해석할 수 있지.
化

이렇게 '활동운화'를 나눠서 이야기한 것은 그 의미가 무엇인지를 알기 쉽게 설명하기 위한 거야.
활
동
운
화

'활은 어떤 성질에서 어떤 성질까지를 말한다.'라고 하긴 힘들지.
나눌 수가 없잖아?

그보다는 전체를 한꺼번에 설명하는 게 더 좋아.
어떻게요?

다시 말하면 활동운화란 '우주를 이루는 생생한 기운이 끊임없이 운동하면서 만물에 두루 영향을 주며

그 운동으로 눈에 띄는 변화를 이끌어 내는 것'을 이르는 낱말이라고 보는 게 적당해.

그런데 내가 활동운화를 구분해서 설명한 것에는 다른 이유가 있어.
뭔데요?

인간의 활동운화 때문이지.
나?
그럼 인간이 너지, 나겠냐?

인간의 운동과 변화는 우주보다 쉽게 구분할 수 있거든.
활
동
운
화

나는 이것을 구분해서 사람들 개개인이 활동운화 가운데 어떤 성질을 갖거나 가지지 못함으로써 생기는 모습들을 보여 줘서, 그들이 자기를 반성하도록 하고자 했지.
활
동
운
화

자, 내가 책에 써 놓은 활동운화의 뜻을 한번 보자!

'활'이라는 것은 '생기'이니

이것이 뛰어난 사람은 오래 살고 성격이 인자하다.

'동'이라는 것은 '진작(振作)'이니

이것이 뛰어난 사람은 앞뒤 사정을 잘 파악할 것이다.

'운'이라는 것은 '주선(周旋)'이니 이것이 뛰어난 사람은 적절하고 마땅하게 일을 처리할 것이다.

'화'라는 것은 '변통(變通)'이니 이것이 뛰어난 사람은 만물을 이해하여 일을 완성할 것이다.

인간이여, 활동운화하라!
깜짝이야!

나는 인간에서의 활(活)을 생기로 보았어.
활이란 글자 자체가 '살아 있다'라는 의미거든.

생기는 삶의 기운인데

이것이 뛰어난 사람은 매우 건강하겠지.
불끈
불끈

그래서 그 사람은 당연히 오래 살 확률이 높을 거야.
에구구, 사는 게 지겨워.
110세 노인 아직도 몸짱

그뿐 아니라 몸이 건강한 사람은 남을 여유롭게 대할 수 있겠지.
사랑의 집짓기
내 몸이 건강하고 성한 만큼 남을 도와야겠다.

그래서 남을 대하는 태도가 인자할 수 있는 거야.
나처럼 말이지.
엥?

움직일 동(動)에 해당하는 것은 '진작'인데
진작 공부를 할 걸 그랬어!
이 진작이 아니고….
낙제

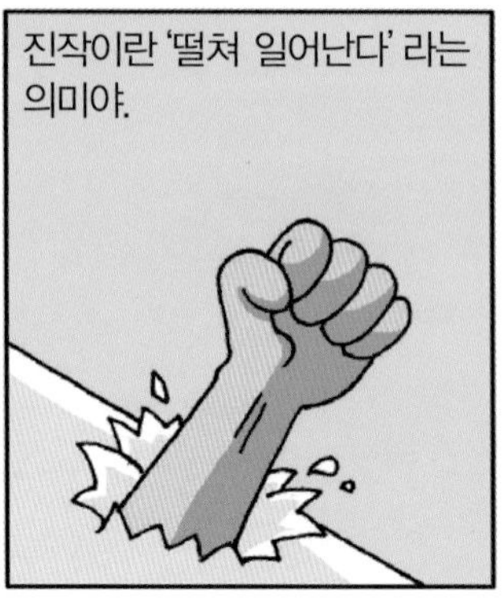
진작이란 '떨쳐 일어난다' 라는 의미야.

이것이 뛰어난 사람은 언제나 자신을 채찍질하여
이랴~!

나날이 새로워질 거야.
일신우일신!

이런 사람은 분명히 지혜로운 사람이 되어

일의 앞뒤 사정을 잘 파악할 수 있겠지.
이렇게 하도록 하시오!
상황실

운(運)에 해당하는 것은
'주선'인데
왔다갔다!
왔다갔다!

이것은 '두루 돌아다닌다'라는 의미야.
돌아다니지 말고
가만히 있어!

이것이 뛰어난 사람은 잠시도
쉬지 않고 이곳저곳을 돌아다니지.
빨빨빨~!

그러면서 많은 것을 보고 배울 수 있어.
덕분에
세상 구경
많이 했다.

우리 어머니가
갑자기
쓰러지셨는데
이를 어쩌나?
뭐라고요?

제가 용한 의원을
알고 있어요. 제가
불러올게요!
그래?

아이고,
빨빨거리고
다니더니
마을의 기둥이
되었구나!
헤헤헤!

마지막으로 화(化)는 모양이
바뀌는 것을 의미하는 '변통'을
뜻해.

이것은 '상황에 맞게 변화하여
소통시킨다'라는 것을 의미해.
안 되면
돌아가기!

이것에 뛰어난 사람은 주어진 상황에
맞춰 일을 잘 마무리할 거야.
뗏목을 만들어서
탈출하자!

자, 이렇게 기에는
네 가지 성질이
있다고 말했지.
활
동
운
화

인간은 이 네 가지 성질을 모두 갖고
태어났지만,

사람에 따라서 어떤 성질은 뛰어나고
다른 성질은 미흡한 경우가 있어.
활
동
운
화

가장 뛰어난 사람은 모든 성질을
골고루 뛰어나게 타고났지만,
욕심쟁이,
우훗훗!

그런 사람은 매우 적지.
있다고 해도
못 생겼을 거야!

내가 이걸 말하는 이유는
네 가지를 살펴보고
반성하여 자신에게 부족한
것을 보완하는 노력을
하라는 거야.

활동운화는 '운화(運化)' 라는
낱말로 간단하게 표현할 수
있는데,
활
동
운
화

나는 '활동운화' 라는
긴 표현보다는 '운화' 라는
짧은 표현을 즐겨
사용했어.
짧아서
좋네요!
운
화

그렇다면
'운화' 란
무엇일까?
무슨 말씀하시는
거예요? 지금까지
다 설명해 놓고!

그래도
'운화' 라고 줄여서
말하는 이유가
있지 않을까?
그런가?
운
화

'운화'는 운동과 변화를
말하는 거야.

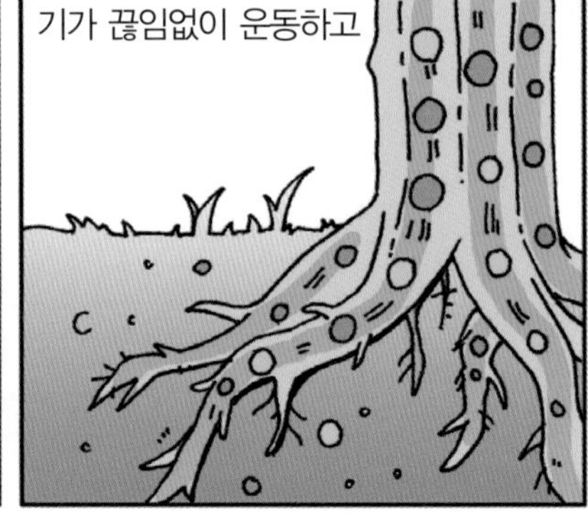
기가 끊임없이 운동하고

그 운동은 반드시 변화를
일으킨다는 것을 나타내지.

그런데, 앞에서 활동운화를
말하면서도 잠깐 말했지만,
만물을 이루는 기의 운동과
변화가 모두 같지는 않아.
만물은 모두 기로
이루어졌는데 왜
다른 운동을 하나요?
저요!

그에 대답하기 위해서는,
앞에서 말했던 형질의
기도 아울러
말해야겠군.
형질의 기
운화의 기

기의 운화는 만물을 생성하기도
하고 소멸하기도 해.

그렇게 생겨나는 사물은
일정한 모양과 몸뚱이,
즉 형질을 가지고 있어.

고로 운화의 기는 형질의 기를
이루게 되는데,

형질의 기가 형성되고 나면 운화의 기도
그 형질의 기에 따라 변화하는 거지.
기로 만들어졌지만
형질이 다르니까
운화도 다르다는
거지!
예를 들어
주세요!
예

자, 소와 사자가 한 마리씩 있어.
1등급
한우예요.
난 아프리카
토종 사자야!

사자와 소는
우주를 이루는
기의 운화에 의해서
생성된 것이지.

그리고 각각 다른 형질을 가지고 있어.
난 위가 네 개야.
난 송곳니가 있지.

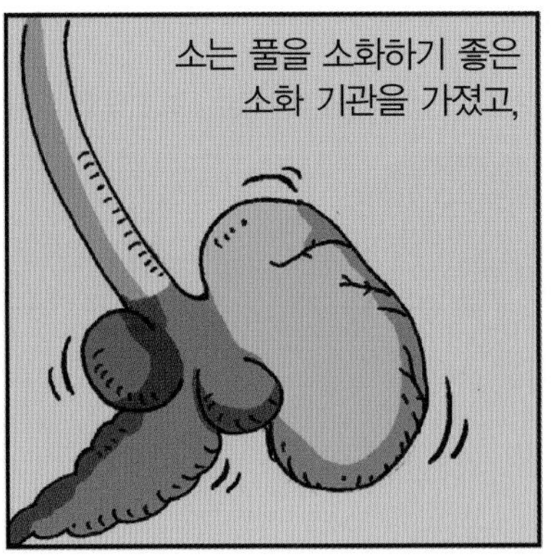
소는 풀을 소화하기 좋은 소화 기관을 가졌고,

사자는 사냥감을 잡고 고기를 먹기 위해 강한 송곳니를 가졌지.

이것은 두 동물의 형질이 다르다는 것이야.

그래서 소는 채식을 하고 사자는 육식을 하지.
그게 맛있어요?
푸석한 풀보다 100배는 맛있지!

으휴, 무식한 육식 동물!
고리타분한 채식주의자!

이것은 형질이 다르기 때문에 그에 대한 운화가 다른 것이라고 할 수 있어.

물론 음식을 먹고 소화하여 생명을 이어간다는 점에서는 모두 '운화'라고 할 수 있지만

그 운화는 형질에 따라 다른 모습을 보일 수밖에 없는 것이지.

그런데 만약 반대로 생각하면 어떨까?
어떻게요?

사자가 풀을 뜯고, 그리고 소가 고기를 먹는다면 말야.
뭐라고요?
지금
장난해?

내가 풀만 먹으면 분명히
이렇게 될 거야!
저는
사자예요~♥

내가 고기를 먹으면
어떻게 되는지
알지?
내가 미쳤소!

어떤 일이 벌어질지는
모르나, 많은 문제가
생길 것은 분명하겠지?

이런 것이 바로 자기에게 적절한 운화를
따르지 않는 것이며, 그로 인한 생기는
좋지 않은 결과야.

같은 포유류가
이 정도인데 장미와 나비,
북극성과 개미의 운화는
얼마나 다르겠어?
좀 비교할 걸
비교하세요!

하지만 이것 모두 기의 운동 변화로 인해서
모양과 몸뚱이를 갖는다는 측면에서는 모두 같아.
하루살이야,
나랑 친구할래?
응! 근데
나 내일 죽어.

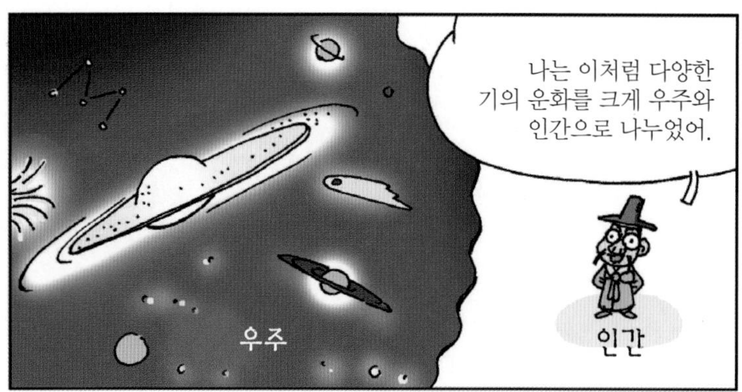
나는 이처럼 다양한
기의 운화를 크게 우주와
인간으로 나누었어.
우주
인간

인간과 우주라니.
차이가 나도 너무
나는 것 아니에요?
껄껄껄!

나도 인간인데,
내 관심이
'인간'에 있지
않겠어?
저도
마찬가지예요!

그렇다고 해서 내가 무조건 인간의
잣대로 모든 것을 판단했다고
생각하지는 말았으면 좋겠어.

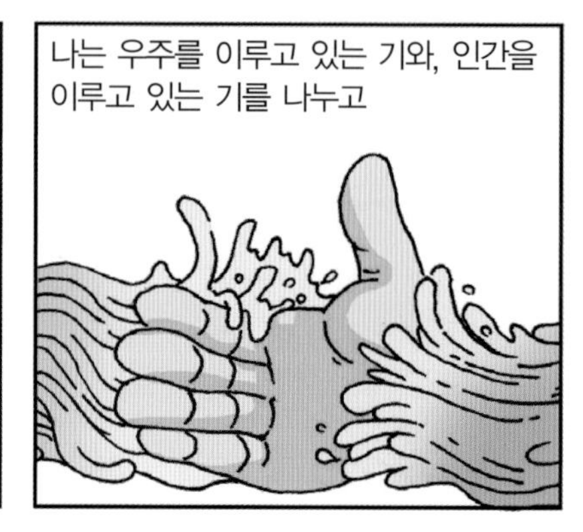
나는 우주를 이루고 있는 기와, 인간을
이루고 있는 기를 나누고

그 기들의 운동 변화도
같은 방법으로 구분했어.

이것이 우주를 이루는 기의 운화인 '대기운화(大氣運化)'와
사람을 이루는 기의 운화인 '인기운화(人氣運化)'
라는 거야.
大氣運化
人氣運化

이 둘 사이의
차이는
무엇일까?
수도 없이
많겠죠.

우선 크기에서부터
차이가 나지.
비교나
될까요?

결정적으로 인간도 우주의
일부이기 때문에 인간을
이루는 기는 우주를 이루는 기에
포함되지.
인간 ⊂ 우주

그럼에도 불구하고 인간을 이루는 기와 그외
우주 만물을 이루는 기 사이에는 커다란 차이가 있다고
생각했기 때문에 이 둘을 대등하게 나눈 거야.

그런데 인간과
우주를 나누는
기준은 뭔가요?
기준이라….

혹시 그냥 나눈 건
아니죠?

그 기준은 바로 의지가 있고 없고의
차이야.
있다?
없다?

의지란 어떤 것에 뜻을 둔다는 뜻이지.
기필코
저 산에 오르고
말리라!

이번 시험에서
100점을 맞고
말리라!
이런 것들이
의지겠지.
20

그런데 우주의 운동에
이러한 의지가 있을까?

동쪽에서 떠오르는 해가 의지를 가지고 떠오르지는 않잖아?
아우, 지겨워.
내일은 서쪽에서
떠야지.
헉!

동물들도 마찬가지야. 강아지가
탁자 위에 놓인 맛있는 햄버거를
먹으려고 노력한다고 해 보자.
앗, 저건
내가 좋아하는
햄버거?

사람들은 그것을 보고 흔히 '먹이에 대한 의지가 강하다.'라고 말하지만
고놈 참 대견하네!
낑낑낑!

그러한 행동은 먹고자 하는 본능에 따른 것일 뿐 의지에 의한 것은 아니야.
먹자 본능

그런데 인간은 놀고 싶은 욕구나 먹고 싶은 본능을 물리치고,
놀고 싶어!
배고파!

그것과는 반대되는 것에 뜻을 두고 행동할 수 있어.
하지만 나의 목표는 합격!
열심

나는 이것이 인간과 다른 사물의 차이점이라고 보았어.
역시 인간은 대단해!

그렇다고 해서 우리 인간이 우주의 다른 사물과 완전히 다르다고 할 수는 없어.
인간도 생물의 하나니까.

동물들처럼 인간도 먹어야 살고, 먹으면 오줌이나 똥을 싸는 것 역시 동물과 마찬가지거든.
뭘 보냐?

그리고 더 크게 보았을 때 인간의 기나 우주를 이루는 기는 모두 운동하면서 변화하는 거야.

본능에 따르고 운동, 변화한다는 측면에서는 인간도 우주 만물과 다를 것 없지.

정리를 하자면 대기운화와 인기운화의 차이점은 대기운화가 자연스러울 뿐이라면,
쿠르르르르르르~

인기운화는 거기에다가 의지가 더해진다는 것이야.

그리고 나는 더 나아가 인기 운화를 '통민운화(統民運化)'와 '일신운화(一身運化)' 둘로 나누었어.
통민운화
일신운화

통민운화는 인간 사회의 운동과 변화를 말하고

일신운화는 한 사람의 운동과 변화를 말해.
이들의 차이점도 크기가 다른 거지.

앞의 대기운화를 여기에 덧붙여서 수학적 기호를 이용해 표시한다면
대기운화 ⊃ 통민운화 ⊃ 일신운화

그런데 내가 기의 운화를 이처럼 둘이나 셋으로 나눈 것은 나름대로의 의도가 있지.
그게 뭔데요?

먼저 말하면, 나는 작은 것이 큰 것을 따라야 한다고 보았어.
헉 진짜요?

그럼, 작은 나라는 큰 나라에 굽실거려야 한다는 건가요?
그런 뜻으로 말한 건 아냐!

한 개인이 사회의 일원이라면
그 사회의 법도를 따르고

한 사회가 전체 우주의 일원이라면
그 우주의 법도를 따라야 한다는 거야.

다시 말해서 인간 사회가 우주의 운동 변화에 발맞춰야 하고,
개인 역시 인간 사회와 우주의
운동 변화에 따라야
한다는 거야.

너무 뜬구름 잡는 것 같아요. 예를 들어 설명해 주세요.
아하, 그럴까?

명태라는 생선 알지?
알지요.

옛날 우리 민족에게 명태는 중요한 단백질 공급원이었지.

명태를 얼마나 다양한 방법으로 먹었는지 이름의 개수만 봐도 알 수 있지.
어디 보자!

명태는 잡는 시기, 잡는 방법, 가공 방법, 크기에 따라서
이름이 스무 개가 훨씬 넘는다고 해.
…
황태, 왜태, 아기태, 북어,
노가리, 춘태, 오태, 코다리,
선태, 동태, 생태, 막물태,
…
뭐야, 노가리와 동태가 명태였어?

다 똑같은 물고기인데 이렇게 달라 보일 수가….
앞으로는 알고 드셔!

이처럼 이름이 많다는 것은 명태가 우리 삶에
밀접히 관련되어 있음을 보여 주는 거야.
영양 많고 맛 좋은 명태~!

자. 여기에 명태 한 마리가 있다고 하세.
안녕하세요? 동해 바다 청정 명태 김명태입니다.

명태는 원래 바다, 그것도 찬 바닷물에서 살지.
10~12도의 온도가 딱이에요.
우리나라의 바다 중에서 동해의 바닷물이 찬 편이야.

그래서 명태는 주로
겨울 동해안에서 잡혔지.

그런데 요즘 세상을 보니 환경 오염으로
인해서 지구의 기온이 많이 올라갔고,
덩달아 바다 수온도
올라갔지.

동해 더워!

그런데 명태 한 마리가 동해안에 정이 들어서 남아 있다면 어떻게 될까?
난 동해안 해수욕장이 좋아요!

결국 따뜻한 물 속에서 버티지 못하고 죽고 말겠지.

앞에서 한 마리의 명태는 개인이고, 명태 무리는 사회이고, 그리고 바다는 우주에 비교할 수 있겠지.

다시 말해서 우주가 변하면 사회도 변하고 또는 변해야 하며, 사회 속의 개인도 변해야 하지.

그때의 변화는 물론 우주의 변화에 걸맞아야 하지.

내가 여기에서 말하는 우주의 변화란 그야말로 우주의 변화이기도 하지.
지글지글!

그래서 우리를 둘러싼 우주 환경이 변화하면 우리의 삶이나 행동 방식도 변화해야 하는 거야.
훌렁
더우니까 나도 반바지만 입고 살아야겠다!

다른 한편으로 우주의 변화란 우주 자체가 아니라 우주의 원리에 대한 앎의 변화, 즉 새로운 원리의 발견을 의미하기도 해.
원리

과거에는 천둥이나 번개가 치는 일을 두고 우리는 신적인 존재가 하는 것이라고 생각했지.
끄아악!
콰광

그래서 그 시대에는 신적인 존재에 비는 것을
당연하게 생각했어.
하늘이 노하셨다!
모두 절해라!
비나이다
비나이다!

과학이 발달한 요즘에는 이런 변화가
자연적인 현상임을 밝혀 냈지.
구름 속의 빗방울이
전기를 띠면서
발생하는 것.

그래서 요즘은
신적인 무언가에
대해서 빌지 않지.
요새도 많이
빌던데요.

앎이 변했는데 예전 행동을
계속한다면 얼마나 어리석은
짓이겠어?
비야,
내려라~!
한심하기는….

나는 우주의 운동 변화와

특히 인간의 자연에 대한 앎의 변화에
관심을 가졌어.

그 관심은 동양과 다르게 발전해 온
서양의 과학적 성과물에서
많은 자극을 받아
생긴 거지.
저들은 우리와
다른 방식으로
생각했었군.
서 양

서양에서 발달한 과학의
성과물을 통해서 우주에 대한
인식이 변화했다면
지구는
둥글다!

우리 삶의 방식도
그에 맞춰서
변화해야 한다는 게
내 생각이야.

다음에는 인간 사회의
변화도 알아보자고!
앗,
기다려요!

제6장 '기학'은 유학이다

氣學
유학

앞에서 말했듯 내 관심은 결국 인간 사회에 있어.
어떻게 하면 인간 사회가 바람직하게 운영될 것인가?

그리고 나의 '기학'도 바람직한 인간 사회를 이루기 위한 학문이라 할 수 있지.
기 체조같은 게 아니라?
그렇지!
기

이렇게 본다면, '기학'은 유학의 일종이라고 할 수도 있을 것이야.
유학이오?

하지만 스승님은 실학자 아녜요?
뭔가 착각하고 있군!
실학

조선 후기의 실학자들이 '유학'을 반대했다고 생각하는 건가?
그렇게 나온 게 실학 아닌가요?

천만의 말씀!
실학도 유학이야.
아우,
헷갈려!
실학
유학

내 경우만 보더라도 '유학' 자체를
반대한 것이 아니라, 유학의
한 종류인 '성리학'을 반대했거든.
넌 안돼!
성리학
유학

나만이 아니라 모두가 잘 아는
다산 정약용 선생도 '성리학'을
반대하여, 원래의
'유학'으로
돌아가자고 했지.
컴백홈!

그럼 도대체
유학은 뭐고
성리학은 뭐고
실학은 뭐예요?
껄껄껄~!

이 둘을 비교하는
것은 인간과 백인을
비교하는 것과 같지.
뭐라고요?

그럼 우선
유학에 대해
알아봐야겠지?

알다시피 유학이란
공자(孔子)가 창시한 학문이야.

공자는 중국의 춘추 시대 사람이야. 춘추 시대 이전의 중국은
주나라가 지배하고 있었지.
周

지금의 중국보다 작았지만 교통이나 통신 수단이 지금처럼 발달하지
않아서 넓은 땅을 다스리기가 어려웠어.
북쪽
오랑캐를
몰아내라!
가는 데만
1년은 걸릴
텐데….

그래서 주나라 왕이
선택한 것이 바로
봉건 제도라는 거야.

봉건 제도란 수도와 그 주변은 왕이 직접 다스리고, 그외의 지역은 제후들을 임명하여 다스리게 하는 것이야. 이렇게 임명하는 것을 '봉(封)'한다고 하지.
周

어린 선비님이 왕이라면 어떤 사람을 제후로 임명할래?
음….

내 친구 성훈이, 순득이, 영민이.
친구가 많은가 보구나.

아녜요, 저한테 돈 빌린 녀석들이에요.
아이고!

무엇보다도 내가 가장 믿을 만한 사람을 임명하겠지. 그래야 내 힘이 계속 유지될 테니 말이야.
넌 내가 가장 믿는 친구야!
난 아닌데….
최고의 친구를 찾아라!

주나라 왕도 그렇게 했어. 그는 자신의 아들 가운데 장남은 자신의 뒤를 이어야 하니 남겨 두고,
너는 주나라를 지켜야 한다.

나머지 아들, 그리고 조카, 믿을 만한 부하 등을 제후로 임명하여 임명된 지역을 다스리도록 했지.
아들1
아들2
조카1
조카2
신하

왕의 입장에서 보았을 때 이런 제도는 처음에 아주 바람직한 것이었어.
다 내 자식, 조카들이니 말 잘 듣겠지?

하지만 세월이 흘러도 이런 관계가 계속될까?
1대왕
2대왕
3대왕
4대왕
5대왕

천자님을 알현하러 가야 한다.
예, 아바마마.

아바마마, 천자님은 아바마마와 어떤 사이입니까?
내 증조부께서 천자님의 고조부의 셋째 아들이셨다. 그러니까….

그럼
천자님과
저는…?
그게
촌수가….

휴, 헷갈려.
묻지 말거라.
가자!
엥?
지끈
지끈

도대체 촌수도 멀고
알지도 못하는 천자에게
뭐 때문에 매년 이렇게
조공을 해야 하지?

이렇게 1대에는 친척이라도 몇 대가 지나가면
완전 남이 되어 버리는 거지.
완전 남남이나
다를 바 없잖아?

자,
도착했다!
에계계, 이게
주나라란
말이에요?

더구나 제후들이 힘이
세어지면 말을 안 듣겠지?
이렇게 형편 없이
작은 나라에 머리를
조아려야 한단
말야?
천자께
절하시오~!

게다가 저런
멍청한 녀석이
천자라니….
히
히

조금만 기다려라.
내가 왕이 되면
너를 꺾어 줄
테니까!

이렇게 시작된
것이 바로
춘추 시대란다.

춘추 시대란 주나라가 힘을 잃으면서
나타난 혼란스러운 시대를 말해.

왕의 힘이 제후들에 비해서 약해지면서 중국 천하에 주인이 없어졌지.
周

이때에는 많은 제후국들이 중국의 새로운 주인이 되고자 계속적으로 전쟁을 벌이는 시기였어. 후에 등장한 전국 시대까지 매우 혼란스러웠지.

그래서 요즘도 세상에 1등 없이 비슷한 힘을 가진 세력끼리 다투는 상황을 '춘추 전국 시대'라고 말해.
이번 월드컵은 춘추 전국 시대로 접어들었다.
춘추 전국

이러한 춘추 전국 시대는 백성들에게 그야말로 살기 힘든 시기였을 거야.
먹고살기도 힘든데 전쟁질이야.

어린 선비님들
가운데 전쟁에 대해
환상을 가진 사람도
있을 거야.
게임을 많이 해서
그런지 전쟁 좀
하고 싶어요.

하지만 전쟁은 정말 끔찍한 거야.
흐억, 눈뜨고
볼 수 없네.

그런데 세상의 이치는
참 알다가도 모를 일이야.
세상은 요지경~

이처럼 끔찍하고 혼란한 춘추 전국 시대에
중국 사상은 찬란한 꽃을 피웠거든.
'제자백가(諸子百家)'가
등장한 것도 바로
춘추 전국 시대였어.

그런데
제자백가라면 제자가
백 명인가요?

'제(諸)'는 여럿이라는 의미이고
여기에서의 '자(子)'는 선생님이라는
의미로서 존경을 뜻하는 말이야.

우리가 익히 알고 있는 성인들의
본명은 아래와 같지만
누구지?
공구
맹가
장주
주희

존경의 표시인 '자'를
붙임으로써
이렇게 되지.
아하!
공자
맹자
장자
주자

그리고 백(百)은 단순하게 100이라는
수를 말하는 것이 아니라 많다는
것을 뜻해.

그리고 '가(家)'란 학파를 말해. 따라서
제자백가란 여러 선생님들이 만들어
놓은 수많은 학파를 말하지.
도가

이들의 사상은 모두 당시의 혼란스러운 세상을 평안하게 하려는 거였어.
어떻게 하면 이러한 혼란을 잠재울 수 있을까?
법을 통해서!
도와 덕을 통해서!
음양 이론으로!

그 고민의 결과가 바로 제자백가의 사상을 통해서 나타난 것이지.

공자도 이들 여러 선생님 가운데 하나였으며, 유가 역시 이들 수많은 학파 가운데 하나였어.
儒

사람들은 공자를 유가의 창시자라고 하는데, 사실 공자 이전부터 '유'라고 불리는 사람들이 있었지.

'유'란 하나의 직업을 말해. 농부, 군인, 기술자와 같은 직업의 하나였지.

'유'라는 직업이 담당하는 것은 '예' 특히 제례, 제사였어.

제사만 전문적으로 지내는 직업인가요? 아무나 하면 안 되나?
허허허….

자, 그럼 한번 지내 보렴.
예?

나름대로 열심히 차려 보았습니다만….
제사상에 콜라랑 피자를 왜 올려!
PIZZA 피 자

한 가지 더, 옛날에는 제사를 귀족들만 지낼 수 있었어.
가문을 지키려면 제사를 지내야지.

제사란 돌아가신 분을 추모하는 것 말고 다른 뜻은 없는 것 같지?
그럼 또 다른 의미가 있나요?

그런데 제사 지낸 음식은 누가 먹지? 그리고 제사 지내기 위해서는 평소에 모이기 힘든 친척들도 다 모이지 않나?
우리 가족도 제사 때는 시골로 내려가요.
쩝쩝
냠냠

제사는 죽은 자를 위한 것 같지만 사실은 산 사람을 위한 것이야.
귀신인 내가 음식을 먹을 수 있을 것 같아?

즉 산 사람들이 모여서 공동의 조상을 추모하고 음식을 나눠 먹으면서 단합을 다지는 것이지.
우리를 생각해 줘서 좋고, 가족끼리 단합해서 더 좋고!
하하하
호호호

과거에 제사는 조상에게만 지내는 것이 아니라 하늘, 땅, 그 사회에서 신성하다고 여기는 산, 강, 나무에게도 지냈지.

그러한 제사를 통해서 그 사회 구성원들의 단합을 꾀했지.

하물며 지배층이 지내는 제사는 얼마나 복잡했을까 한번 상상해 보렴.

우선 제사상에 올라가는 물건들의 종류가 많았을 거야. 뿐만 아니라 제물을 놓는 자리를 아는 것도 쉽지 않지.
신위
촛대
촛대
시접
메
국
잔
메
국
잔
편(떡)
면
적
적
적
편청(조청)
탕
탕
탕
포
자반
김치
간장
나물
식혜
밤
배
은행
조과
사과
감
대추
제주(술)
향로
퇴주
이건 우리나라의 기본 제사 상차림인데 이 정도도 대단하지?
끄악! 이렇게 복잡해요?

게다가 각 지역과 가문에 따라서 상차림이 조금씩 달랐어.
바닷가가 가까워서 물고기를 많이 올리지요.
우리는 생 소고기를 올리죠.

제사 순서도 쉽지 않지. 우리나라의 기본 제사 순서란다.
상차림도 복잡한데 절차까지….
영신-강신-참신-초헌-
독축-아헌-종헌-첨작-
삽시정저-합문-계문-헌다-
철시복반-사신-철상-음복

제사가 이렇게 어려운 건지 제가 미처 몰랐어요.
경건한 의식이니까 절차도 복잡하지.

공자는 바로 이런 것을 기억하여 지배층을 도와 제사 등의 의식을 집행하는 직업에 종사했던 것이지.
의식 전문가라고 불러 주세요~!

그런데 공자는 단순히 의식만 집행한 사람이 아니었던 거야.
이런 의식은 어떻게 만들어진 것일까?
청년 공자

의식을 행할 때는 어떤 마음가짐을 가져야 할까?

이렇게 진지하게 탐구하기 시작한 거야. 바로 학문이 시작된 것이지.
학문이요?

그렇지! 학문이지. 학문은 어떻게 시작되느냐?
얼쑤~!

해가 뜨는 것을 그냥 보고 있을 때는 아무것도 아니지만,
해 떴으니 밥 먹자.

왜 해가 뜨는지 생각하기 시작하는 것은 학문이지.
겨울과 여름에 해 뜨는 곳이 다른 이유는 뭘까?

어린 선비님은 '삼년상'이라는 것을 아나?
들어 본 것 같아요.

옛날에 부모님이 돌아가시면 3년 동안 묘를 지켰다는 것 말이죠?
잘 알고 있구나.

이것을 시묘라고 해. 묘를 지킨다는 것이지.

삼년상은 만 2년 동안 부모님 묘 옆에 풀을 엮어 움막을 짓고 그곳에서 풀죽을 끓여 먹으면서 묘를 돌보는 것이지.
엉엉, 어머니….

사실 현대에서 이런 시묘를 한다는 것은 거의 불가능하지.
3일장도 길다, 길어~!

과거에도 어렵기는
마찬가지였어.
옛날에는 뭐
한가했는 줄
아나?

그래서 이러한 삼년상과 시묘는 효자를 가리는
기준이었다고 할 수 있어.
우리 마을
효자 났네!
얼쑤~
㉆ 효자 탄생 ㊗
효자비

공자가 살았던
시대에도 삼년상이
있었는데….

그때도 삼년상이 너무 길다는 말이 있었던 것 같아.
스승님,
물어 볼 것이
있습니다!
오냐!

1년으로 충분하지
않나요?
3년이 길다고?
경제도
어려운데….

이보게, 어린아이가 부모 품을 떠나는 것만도
3년이 걸리지 않는가?

고로 부모의
삼년상은 기본적인
도리인 것이야!
명심!

공자는 딱히 그 이유를 모르고
행하던 삼년상이라는 의식에
대해서
그냥
한 게 아니고.

그 배경을 설명한
것이지.

그리고 공자는 허례허식을 철저하게 배척했어.
안 돼!
허례
허식

'허례허식'이란 겉만 번지르르 하고 속은 비어 있는 의식을 말해.

어떤 의식을 행하는 사람의 마음이
어머니, 만수무강하세요!

그 의식에 걸맞지 않음을 비판한 것이야.
아, 빨리 끝났으면 좋겠다….

부모님이 돌아가셨을 때 부모님을 그리는 간절한 마음을 표현하는 것이 '삼년상'이잖아?
부모님

그런데 만약 부모님을 그리는 간절한 마음도 없이
아이고, 어머니~!

남들에게 효자라고 칭찬 받기 위해서 삼년상을 치른다면 내 마음을 속이는 허례허식이라는 거지.
망할 놈!
여기 통닭하고 맥주~!

그렇다고 부모님을 사랑하는 마음만 있으면 될까?
엄마, 사랑해유~!
에휴!

마음 속으론 우리 부모님만 생각한다니까!
그런 놈이 부모 돈을 훔치냐?

그에 알맞은 행동, 즉 의식이 필요한 거야.
어머니, 좋아하시는 호박죽 사 왔어요!
오냐~!

인간에게 어떤 마음이 있다면 그 마음을 표현할 적절한 의식이 필요한 거야.
존경합니다, 스승님.

공자는 이처럼 밖으로 드러나는 의식과

그 의식을 실행하는 사람의 마음이 잘 어울려야 한다고 보았어.

그리고 인간이 가져야 할 다른 사람에 대한 마음을 사랑, 즉 인(仁)이라고 했지.
仁

다른 사람을 사랑하는 마음으로 의식을 행하고, 예의 있게 행동해야 한다!
예, 스승님!

이렇듯 유학의 창시자인 공자 사상의 핵심은 바로 외면에서의 예의와 내면의 인간 사랑이라고 할 수 있어.

그리고 이런 사상이 널리 퍼지면 유가에서 이상적으로 여기는 도덕적인 사회가 되는 거지.

공자 이후의 유학자 중 주의 깊게 봐야 할 사람은 맹자와 순자야.
맹자
순자

맹자는 많이 들어 봤지만, 순자는 별로 들어 보지 못했지?
맹해서 맹자, 순해서 순자?
뭐야?

예끼!
예의 있게 행동하라고
방금 말했는데!
붕~

이 두 사람은 모두 자신의 사상이 공자의 사상에서
출발한다고 말하고 있지.
孔

그런데 두 사람의 사상은 서로 사뭇 달라.
孔
맹자
순자

그 대표적인 것이 인간의 본성이
선한 것인지, 악한 것인지에 대한
생각이란다.
선
악

그런데 인간의
본성이 정확히
뭐예요?

간단하게 말한다면,
인간이 원래부터 가진
도덕적인 성질이라고
할 수 있어.
인간은 본래
(　)다.
인간은 본래
어떤 걸까요?

먼저 맹자의 사상을 보자면
인간은 본래
선하다!

어린아이가 우물에 빠지려고 한다고 생각해 보라!

그러면 누구라도 그 아이를 구하려 할 것 아닌가?
큰일날 뻔 했네!

이것은 그 부모와 친해서도 아니요, 자신을 과시하려고 하는 행동도 아닌 것이다.
나 사람 살린 사람이야.

인간의 본성이 선하기 때문에 그런 행동이 나올 수 있는 것이다!

반면 순자는 인간의 본성이 악하다고 주장했거든.
인간은 욕망을 채우려 하기 때문에 본래 악하다!

맛있는 것을 보면 먹고 싶고 좋은 것이 있으면 갖고 싶지 않은가?

인간을 그대로 두면 이기심이 가득 차서 사회가 어지러워지는 것이다.

그렇기 때문에 외적 제도를 통해서 인간을 선하게 만들어야 한다.

자, 이 두 사람이 모두 공자 사상에서부터 출발하여 자신의 사상을 펼쳤다고 했어. 그렇다면 결국 이들도 도덕적인 사회를 추구한 것이지.

그런데 인간의 본성이 선하다고 본 사람과 악하다고 본 사람은 도덕적인 사회로 나아가는 방법을 다르게 생각할 수 밖에 없겠지.

우선 맹자는 어떻게 생각했을까?
그대로 선하게 살면 되겠죠?

그렇지. 그렇게 선한 본성을 잘 길러 주면 되는 것이지.

그렇게 하는 방법은 여러 가지 있을 수 있겠지만,
칭찬!

우선 사람들이 먹고사는 것이 부족하지 않게 해 주는 것이 있겠지.
밥 굶으면 도덕이고 뭐고 없슈!

그래서 맹자는 사람들에게 먹고살 길을 보장해 주고

그런 다음에 교육을 통해서 인간의 선한 본성을 북돋아 줘야 한다고 했어.

반면에 인간의 본성이 악하다고 본 순자는 어떻게 인간 사회를 도덕적으로 만들어 나갈까?
…

만약 인간을 그대로 둔다면 당연히 도덕적 사회를 만들 수 없지.
배 고프다! 먹고 싶다!

돈 내놔!
쿵

따라서 악한 본성이 드러나지 못하도록 하는 강제적인 제도를 사용해야겠지?
깨갱…
넌 법을 어겼어!

그래서 인위적인 예로 인간을 선하게 바꾸어야 한다!

공자의 사상에서 출발했지만, 그들이 공자 사상 중 인과 예 가운데
어떤 것에 중심을 두었느냐에 따라서 다른 사상을 펼치게 된 거지.

그래도 그들이 공자 사상에서 출발했고 도덕적 사회를 바랐기 때문에, 그들을 유가 사상가라고 해.
유 가

맹자나 순자보다 천여 년 뒤에
성즉리(性卽理)를 중심으로 하는 성리학과
인간의 본성은 우주와 자연의 선한 원리이다!
주희

심즉리(心卽理)를 중심으로 하는 양명학 등도
역시 유학의 일종인 거야.
마음에 있는 것이 바로 이치이니 지금 바로 실천하라!

어쨌든 성리학, 실학 등은 모두 유학의 한 종류야.
오호!
유학

따라서 성리학을 비판했다고 해서 유학 자체를
비판한 것은 아니야.
우리는 모두 유학자니까!
유학

내가 '기학'이 유학이라는 것을 이처럼 설명하는 이유는

내 학문이 인간 사회, 그리고 각 개인들이
어떻게 살아가야 하는지에 중심을 두었음을
강조하기 위해서야.

이제는 '통민운화'에 대해 알아보자!

기의 운동 변화를 설명하는 말이 운화이고, 그 운화에는 대기운화, 통민운화, 일신운화 세 가지가 있다고 했지.

여기에서의 이야기는 대기운화를
통민운화가 본받는다는 것에서
출발해 보자.

우선 대기운화가 우주의 운동 변화라는 것을
이해해야 해.
그래,
그랬지!

요즘 세상에서는 '우주'라고 하면 흔히 '스타워즈' 등의
공상 과학 영화에 나오는 우주 공간을 떠올리지.

하지만 내가 말하는 우주는 그뿐만이 아니라 천지만물(天地萬物),
즉 하늘과 땅, 그리고 하늘과 땅 사이를 가득 채우고 있는 모든 것들을 가리키지.

여기에서 우주의
운동 변화란 두 가지로
구분할 수 있어.

하나는 우주의 변화
그 자체야.
으아아!
하늘에서
돌이 떨어진다!
슈우우-

그리고 다른 한 가지는 우리 인간이
우주를 관찰하여 얻는 지식의
변화지.
이게 바로
운석입니다.

운동 변화라고
안 하셨어요?
왜 변화만
하죠?
아하,
운동!

앞에서도 말했듯이 모든 사물은
계속 운동을 하고 있지.

그리고 그 운동을 통해서 변화가
오는 것인데

결국 우리는 운동 자체보다는 운동을
통한 변화를 관찰할 수 있지.
쿠르릉~
앗, 소나기가
내릴 것 같네!

그래서 우리가 우주를 본받을 때에는
우주의 변화에 주의를 기울일 수
밖에 없는 거야.

요즘 시대의 지구 온난화를
가지고 설명해 보기로 하지.
지구 온난화
알지?
그럼요.

화석 연료를
많이 사용해서 대기권에
이산화탄소가 가득 차서
지구가 더워지는 거죠.
그럼!

지구 온난화로 극지방의 빙하가 녹아서 해수면이 높아지는 등
심각한 환경 위기가 닥쳐오고 있지.
살려 줘요!
아이코!

이처럼 우주의 변화는 요즘만이
아니라 과거에도 있었고,
앞으로도 있을 거야.

세계의 지붕인 히말라야 산맥은

유라시아 대륙과 인도 대륙이 충돌하면서
솟아오른 곳이지.

그런데 원래는 바다였어.
에이, 설마요! 그 높은 세계의 지붕이 원래 바다였다고요?

그래서 히말라야 산맥 한 곳에는
바닷물의 수분이 증발하여
소금밭이 된
곳이 있지.
우리는 소금을 캐는 광부랍니다!

두 대륙이 충돌하면서 변화를 겪은 사건은 최근에도 있었어.
그게 뭔데요?
쿠쿠쿵!

최근 2008년에 일어난 중국 쓰촨(四川) 지방의 지진도 그 충돌의 여파라고 하잖아.

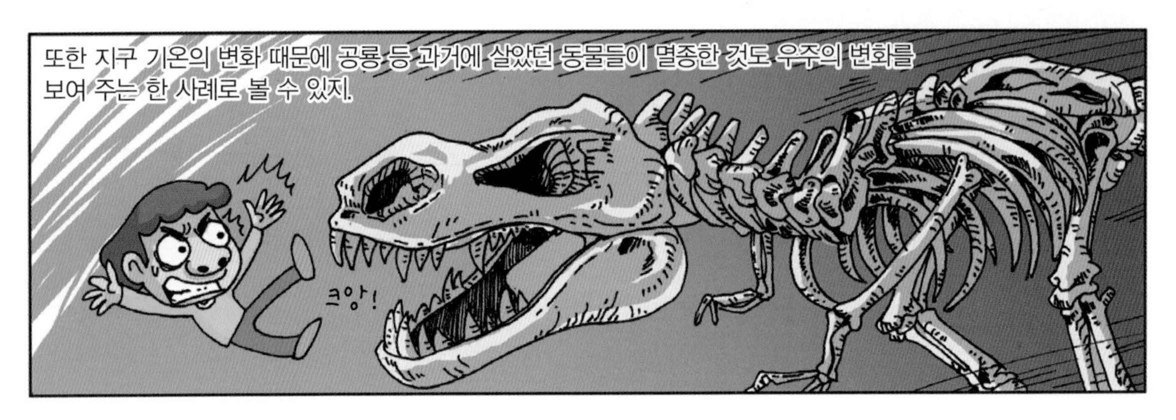
또한 지구 기온의 변화 때문에 공룡 등 과거에 살았던 동물들이 멸종한 것도 우주의 변화를 보여 주는 한 사례로 볼 수 있지.
크앙!

이처럼 우리가 살아가는 우주는 끊임없이 운동하고, 그 결과로 큰 변화가 나타나고 있어.

그리고 우주에 대한 지식의 변화란 우주 만물에 대한 인간 지식의 변화를 말하는 거야.

대표적인 예로 '지구론(地球論)'을 들 수 있어.
지구론?

땅(地)이 둥글다(球)는 이야기 말이야.
에이, 그걸 뭐 새삼스럽게 얘기해요. 원래 지구는 둥근데.

요즘 세상에서 우리가 살고 있는 땅덩이를 평평하다거나 네모지다고 생각하는 사람은 아마도 거의 없을 거야.
세상은 평평하고 배를 타고 멀리 가면 떨어진다!
크하하, 누가 그런 소릴 해?
와하하!

그런데 옛날엔
그렇지 않았어.
조선의 예를
들어 볼까?

중국의 영향을 받은 조선은
전통적인 우주관으로 '천원지방
(天圓地方)'을 당연하게 여겼어.
천원지방을
표현한
청동 거울

천원지방은
하늘은 둥글고(圓)
땅은 네모나다(方)는
것으로,
하늘
땅

둥근 하늘이 평평하고 네모난 땅을 덮고 있다고 생각했지.

그래서 유학자들은
머리에는 둥근 관을 쓰고
발에는 네모난
신발을
신었어.

그런데 천원지방이라는 생각은
서양 선교사들에 의해 바뀌게 되었지.
지구론

그들은 지구가 둥글다는 이론,
즉 '지구론'을 가지고 온 거야.
해도 둥글고
달도 둥글고
지구도 둥급니다.
당신
얼굴도
둥글구려.
하하하

우리가 사는 지구는 언제나
둥근 모양이었지만
인공 위성,
넌 알지?

우리의 지식은 지구에 대해 평평하고
네모나다는 것이었다가

그제서야 비로소 둥글다는
것으로 바뀐 것이지.

요즘 세상에서는 이러한 우주에 대한 지식의 변화가
과학의 발전으로 급속하게 이루어지고 있지.
우주 망원경을 통해
몇 억 광년 떨어진
곳도 볼 수 있지.

이러한 우주의 변화와
우주에 대한 지식의
변화는 우리 삶에 많은
영향을 끼치지.

앞의 5장에서 예로 들었던 명태는 예전에는 겨울이면 동해안에서
지천으로 볼 수 있었지.
♬검푸른~바다 바다 밑에
값이 싸서
모든 사람에게
사랑 받았어요!

그런데 지구 온난화로 인해서
동해의 수온이 높아지자 명태를
잡기 힘들어졌지.
이제 동해가 더워서
갈 수가 없어.

이제 명태를 잡으려면
예전의 소형 어선이
아니라 대형 어선을 타고
먼 바다에 나가야 해.

당연히 명태는 비싸고 귀한 생선이 되었지.
나도 몸값 좀 올렸어.

이것은 바로 우주의 변화가 우리 삶에 미치는 영향을 보여 주는 거지.

그리고 땅이 둥글다는 이론은 조선 후기 일부 학자들의 세상을 바라보는 눈에 많은 영향을 끼쳤어.
땅이 둥글다니 어떻게 이런 생각을!

어린 선비님, '중국'이 무슨 뜻인가?
중국은 차이나!
中國

그 뜻이 뭐냐고!
음…, 가운데(中) 나라(國)?

그렇지. 가운데(中) 나라(國), 즉 세상의 가운데에 있는 나라라는 의미이지.

여기에서 '가운데'의 의미는 두 가지야. 하나는 위치상으로 가운데라는 의미야.
우리가 중심이야.
순 억지!!
中 國

다른 하나는 세상에서 가장 중요하다는 의미이지.
짱!

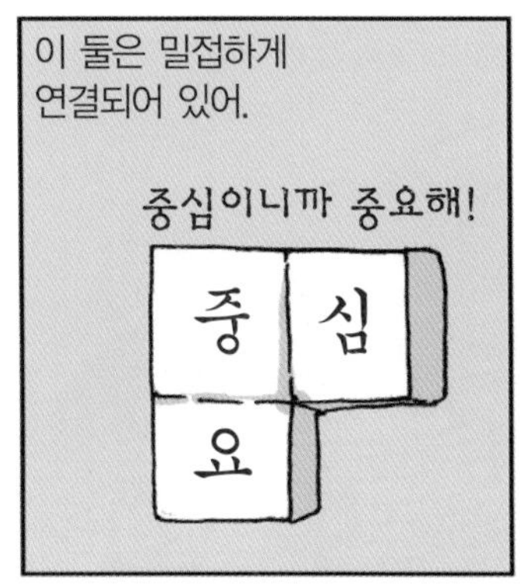
이 둘은 밀접하게 연결되어 있어.
중심이니까 중요해!
중 심
요

땅이 네모나고, 그 땅의 중심에 중국이 있기 때문에 중요하다는 말이지.
천원지방 사상이군요.

그래서 변두리 국가인 조선이 중국을 따르고 그 문화를 본받는 것은 당연하다는 거지.
중심에 계시므로 존경해야죠.

그런데 땅이 둥글다는 입장에서는 가운데 나라가 있을 수 없잖니?
야!
왜?

중심 타령 좀 그만 해라. 그게 말이 돼? 지구는 둥근데 너희가 중심이라고?
노랑머리 서양 오랑캐가 감히!
어서 중심인 나에게 머리를 조아리거라!
흥!

이제부터는 우리가 중심이란 말이야!
어윽!
퍽!

서양의 '지구론' 때문에 중국 중심 사상은 여지 없이 무너지고 말지.
콩!
쾅!

그래서 서양의 지구론을 수용한 홍대용 등 조선 후기 학자들은 중국 중심주의에서 벗어나게 되었지.
세상엔 중국만 있는 게 아니구나!

이처럼 우주의 변화, 그리고 그 지식의 변화는 우리 삶에 많은 영향을 끼쳐.
세상의 이치까지 바꿀 수 있을 정도니 말이야!
中國

＊**리히텐슈타인** – 유럽 중부에 위치한 울릉도 두 배 정도 크기의 조그만 공화국이다.

이것이 바로 한 사회,
국가를 운영하기 위한
자세가 아닐까?

통민운화란 이처럼 우주의 변화에 발맞춰서
인간 사회를 운영하는 것을 말해.
발맞추어 나가자,
앞으로 가자!
변화

그런데 여기에서
주의할 점이 있어.
뭐예요?

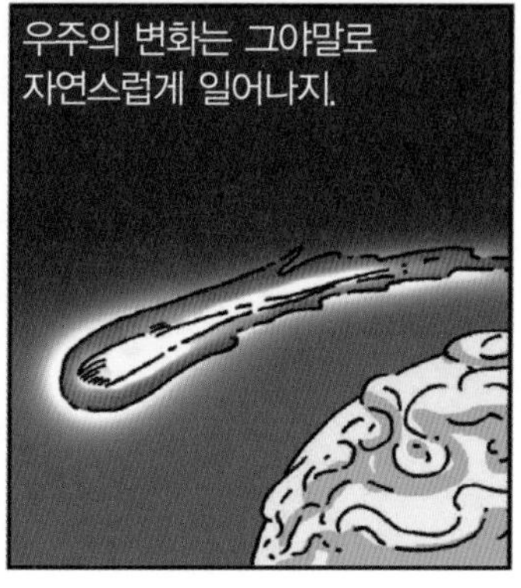
우주의 변화는 그야말로
자연스럽게 일어나지.

물론 지구 온난화나 우주에 대한
지식 변화는 인간에 의해서 이루어지고.

하지만 지구 온난화는 인간이
일부러 만들어 낸 것이 아니라
우리가
설마 일부러
그랬겠어?

산업 활동을 하다 보니 의도하지 않게
생겨난 것이지.

그리고 우주에 대한 지식 변화도,
인간이 억지로 만들어 낸 게 아니야.
지구는
우주의
중심일 거야.

우주에 대해 관찰하다 보니
의도하지 않아도 발견하게 된 것이라는
말이야.
어라? 지구도
그냥 하나의 행성에
불과하잖아?
이제
알았나?

이에 비해서 통민운화는
인간이 일부러 만들어
내는 것이야.

즉 인간 사회의 운영 원리가 변화하는 것은 인간의 의도적인 활동에 의해서 일어나지.
홍수에 대비해서 둑을 쌓아야겠다.
졸졸졸

우주 변화에 발맞추고자 하는 인간의 의지가 들어가 있는 거야.
쏴아아아

이처럼 인간 사회를 변화시켜 우주의 변화에 맞추는 것을 나는 '변통(變通)'이라고 했다네.
변통?

어째 말이 좀 이상하네요. 무슨 뜻이죠? 후후후~!

뻥!

변통의 뜻은 닥친 상황에 대해서 융통성 있게 처리하는 것이라네.

'변통'은 원래 《주역(周易)》이라는 책에서 나오는 말로, 변화와 소통(疏通)을 합쳐서 말한 것이라네.
강유는 근본을 확립하는 것이며, 변통은 시대의 흐름을 파악하는 것이다.

《주역》에서는 변통을 사계절의 변화를 가지고 설명하고 있지.
봄, 여름, 가을, 겨울이 지나면 다시 봄이 오지요. 신기하지요?

우주의 기운은 한 계절이 다하면 자신을 변화시켜서 새로운 계절과 소통하게 하지.

그런데 이처럼 우주의 기운이 새로운 환경에 적응하는 것은 자연(自然)스럽게 이루어지는 거야.

여기에서 자연이란, 우리가 말하는 나무, 산, 강 등 자연물을 말하는 것이 아니야.
우리인 줄 알았냐?

말 그대로 저절로(自) 그러함(然)이라는 의미야.
누가 시켜서 그렇게 된 게 아니고.

그런데 인간의 변통은 저절로 일어나지 않아.

우주가 변화했다고 해서 우리 인간이 저절로 변화하지는 않지.
무슨 바람이 이렇게 강해?

인간이 자신을 변화시켜서(變) 변한 우주에 맞추는(通) 것은 철저히 의도적이야.
바람을 이용해 방아를 찧어야지.

여름에서 가을이 되어 낮아지는 기온의 변화는 어떤 의도도 없이 저절로 일어나지만,

반팔 티셔츠에서 긴팔 티셔츠로 갈아입는 행위는 결코 저절로 일어나는 것이 아니지.
오늘 춥다고 했으니까 긴팔 입고 가야지.
오늘 날씨 흐림 12도

이런 행위는 인간이 기온이라는 환경의 변화에 적응하기 위해서 의도적으로 하는 것이지.

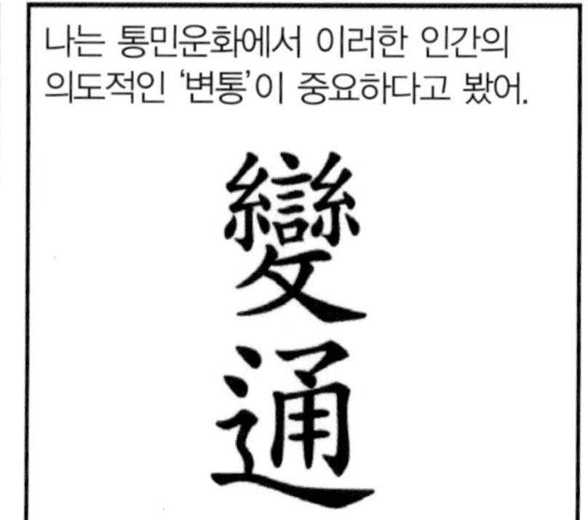
나는 통민운화에서 이러한 인간의 의도적인 '변통'이 중요하다고 봤어.
變通

그리고 이 변통으로 변화하는 세상에 알맞은 새로운 사회 운영 원리를 만들어 내야 한다고 보았어.
적절한 운영 원리요?
원
리

적절한 예를 들어 보기 위해 여기에서 다시 《맹자》로 돌아가 보자.

맹자와 맹자의 제자가 예의에 대해 대화하는 것을 볼까?
스승님.
오냐.

형수가 물에 빠졌을 때 손을 잡아 구해 주는 게 도리입니까?
엥!

왜 그러죠? 당연히 구해 줘야죠?
꼭 그렇게 간단한 문제가 아니야.

당시처럼 남녀가 유별한 사회에서 부부가 아닌 남녀가 손을 잡는 것은 예의에 어긋나는 것이었거든.

맹자는 이렇게 이야기했어.
물론 평소에 손을 잡는 것은 예의에 어긋난다.

하지만 죽을 지경인데, 손을 잡지 않는다면 그건 승냥이와 같은 짓이야!

형수의 손을 잡아서는 안 된다는 일반적인 원칙을 지키다가

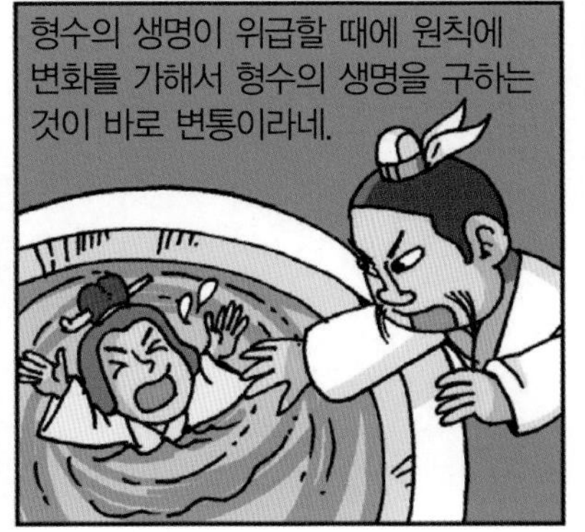
형수의 생명이 위급할 때에 원칙에 변화를 가해서 형수의 생명을 구하는 것이 바로 변통이라네.

그런데 내가 말하는 변통은 여기에서 더 나아가는 거야.

어린 선비님이 사는 요즘 세상에서 남녀가 유별하다는 생각은 받아들이기 힘들지?
떼어 놓기가 더 힘들어요.

이때에는 남녀가 손을 잡아서는 안 된다는 예의의 원칙 자체도 바꿔야 하지.

이제는 오히려 남녀가 만났을 때, 악수를 하는 것이 예의가 된 거야.

나는 이처럼 사회가 변화하면, 그에 따르는 예의, 도덕도 바뀌어야 한다고 생각해.
사회
예의
도덕

여러분 중 어떤 이는 내가 계속 변화를 이야기하는 것에 불만을 가질 거야.
만날 변화, 변화!
흥!

맹자님은 남녀가 유별해야 한다는 기본 원칙이라도 있었죠. 선생님은 그 원칙도 변한다는 거잖아요?
그렇지.

도대체 기준이 뭡니까? 세상 사는 데 기준이 뭐냐고요?
내 기준은 밥…

음, 충분히 일리가 있는 말이야.

그런데 앞에서도 말했듯이 어느 사상이건 그 사상이 나온 시대 상황과 무관하지 않아.
알다시피 내 시대가 너무 빨리 변했잖아.

그런데 당시의 조선 사회는 너무 변화가 없었다네.

아니 사회는 변화하는데, 사회 운영의 원리와 운영하는 지배층의 변화는 너무 미미했지.

그래서 나는 통민운화, 변통 등을 통해서 변화를 강조한 것이야.
당시 지배층과 지배 이념을 비판하고 싶었지.
비판

치와와는 키가 13센티미터 정도로
매우 작으면서도 야무진 개지.
주로 애완용으로 키워.

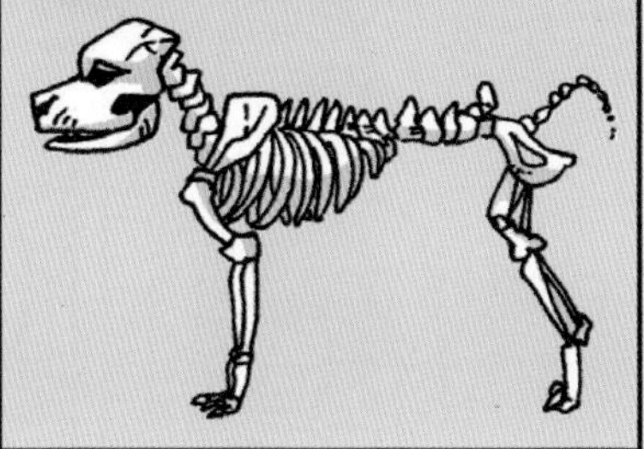

한반도에 흑인이 언제 처음으로
들어왔는지는 잘 모르겠어.

하지만 나는 우리와는 생김새가 사뭇 다른 흑인들, 그리고 백인들이
지구 곳곳에 살고 있다는 것을 이미 알고 있었어.

물론 직접 본 것이 아니라, 한역서학서를 통해서이지만.
간접 경험이군요.

뿐만 아니라 그들이 사는 곳이 열대(熱帶) 지방에서
한대(寒帶) 지방에 이르기까지 다양하며,
으, 이런 곳에 어떻게 삽니까?
덜덜….
요즘은 여름인걸요!

그들이 사는 방식도 우리와
사뭇 다르다는 것도 알고 있었고
말이야.
남 우세스럽게 팬티만 입고 있다니!
삘삘!
너도 열대에 한 시간만 살아 봐.

하지만 나는 이러한 다름은 작은 것이라고,
즉 '소이(小異)'라고 여겼지.
피부색, 생김새, 사는 방식도 다르지만!
생각하고, 말하고, 행동할 줄 아는 이상, 그들은 모두 인간이다!

나는 홉슨이라는 영국 의사의
의학 서적을 읽고 나서 이런
생각이 더욱 확고해졌어.
피부색과 생김새는 그야말로 '소이'군!

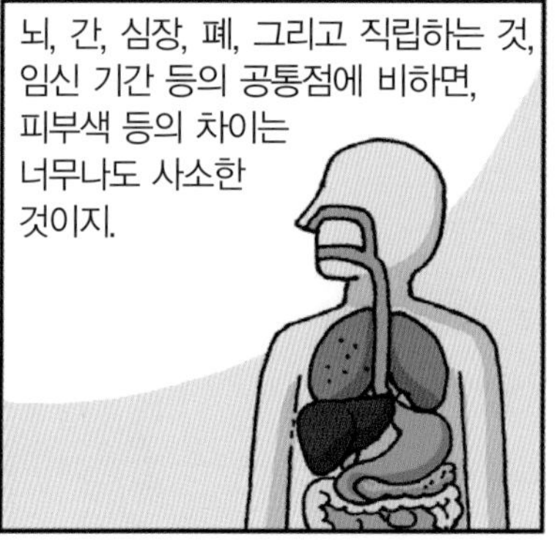
뇌, 간, 심장, 폐, 그리고 직립하는 것,
임신 기간 등의 공통점에 비하면,
피부색 등의 차이는
너무나도 사소한
것이지.

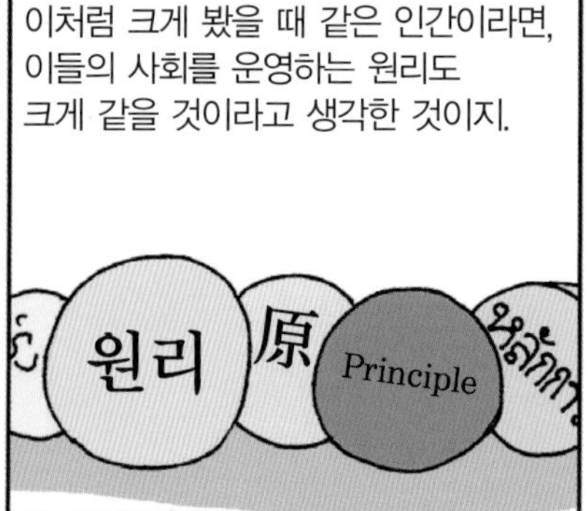
이처럼 크게 봤을 때 같은 인간이라면,
이들의 사회를 운영하는 원리도
크게 같을 것이라고 생각한 것이지.
원리
原
Principle

물론 열대 지방에서 사람들에게
보일러를 보급할 방법을
고민한다거나,
24시 불가마

한대 지방에서 모든 이들에게
에어컨을 보급할 방법을 고민한다는
것은 말이 안 되겠지.
휘이잉~!

하지만 우선 모든 사람들을
먹고살게 하고

부족한 물건을 다른 곳에서
가져와 쓰게 하는 것은 어떤
사회를 운영하더라도 필요해.

그래야만 사람들의 생활이 안정될
것이고, 사회에 충실하게 되고,
결국 도덕적인 사회가 될 수 있거든.
도덕

그래서 변화하는
세계에 발맞춰 조선
사회가 변화하기를
바랐던 거야.

우주와 세계의 변화를 파악하고 그것에 따라
우리 사회를 변화시켜야 한다고 본 것이지.

통민운화란 바로 우주와
세계의 변화에 발맞춰서
우리 사회를 운영하자고
말하는 거야.
태풍경보

휴, 이번 장 내용은
쉽지가 않았지?
수고하셨어!
에고,
힘들었어요.

다음 장에서는 통민운화에 속하는 인간 활동, 그리고 학문을 살펴보고
좀 더 구체적으로 설명해 볼게.
슈우웅~~!
통민운화

우선 현실에서 '기학'에 속하는 것들을 말해 볼 거야.

이를 보면 '기학'이 무엇인지, '기학'이 현실에서 어떻게 응용되는지 알게 될 거야.

우선 '격물학(格物學)' 부터 이야기를 시작할까?
격물학이오?
격물

'수신 제가 치국 평천하' 라는 말을 들어 봤나?
수신제가 치국평천하
네?

이 말은 《대학》에서 나온 유명한 말이라네.
아하, 꼭 봐야 할 책이죠!
대학

이 말은 '수신(修身)' 내 몸을 닦고, '제가(齊家)' 집안을 가지런히 하고, '치국(治國)' 나라를 다스리고, '평천하(平天下)' 천하를 평안하게 한다는 뜻이야.

그런데 원래의 문장에는 이들 네 개의 단어 앞에 또 네 개의 단어가 더 있었어.
수신
치국
제가
평천하

그게 바로 '격물(格物)', '치지(致知)', '성의(誠意)', '정심(正心)'이야.
格物
致知
誠意
正心

격물은 '사물을 탐구하고'

치지는 '앎에 이르고'

성의는 '뜻을 참되게 하고'

정심은 '마음을 바르게 한다'라는 거야.

그래서 이 여덟 낱말을 '대학팔조목(大學八條目)'이라고 하는데,
八條目

이 팔조목은
유학자의 학문과 실천이
어떠해야 하는가를
핵심적으로
보여 주는 말이야.
유학

이 가운데 사물을 탐구하는 '격물'을 중시한 사상가로는 주희(朱熹)를 들 수 있어.

앞에서 얘기했던
성리학을 '주자학
(朱子學)'이라고도
부르는 걸 알지?
들어 봤어요.
주자학

이때 주자학에서의 주자가 바로 주희야.
여자 이름
같아요.
놀리냐?

성인의 이름 뒤에
'자'를 붙인다고
말했잖아.
전 미자라고
해요.
난 숙자!
난 화자!
난 말자!
子

이 주희가 성리학을 체계적으로 완성시켰기 때문에 주자학이라고 하는 거야.
성리학

주희는 학문하는 방법으로 구체적 사물에 나아가서 그것을 끝까지 탐구해 보라고 했어.
쑥!
끝까지
치열하게!

이것이 바로 '격물'이야.
격물

나는 주자가 권한 학문하는 방법이 '기학'의 정신과 잘 맞는다고 생각했어.
나 역시
경험적인
학문 방법을
주장했잖아?

그런데 내가 살던 당시에 성리학은 그렇지 못했단다.
왜요?

사물을 탐구하던 자세는 사라지고, 이미 확정되어 있는 원리만 지킬 뿐이었거든.
성리학

변화하는 사물들을 제대로 파악하지 않았던 거야.

내가 보기에 이런 태도는 '기학'이 아니며 진정으로 '격물'하는 자세가 아니었어.
격 물

진정으로 '격물'하려면, 사물을 직접적으로 탐구하여 그 사물의 원리를 알아내고,

사물이 운동 변화한다는 것을 깨달아 그 원리를 파악하고자 노력해야 하거든.

우리의 삶과 좀 더 직접적으로 관련된 것에 대해서 말해 볼까?

어린 선비님은 '역수학(曆數學)'이란 말을 들어 보았나?
수학은 다 싫어요!

역수학은 '역수'를 다루는 학문이야.
曆數
이건 또 뭔가요?

역수는 천체의 운행을 말하는 것으로, 요즘 식으로 말하면 일종의 천문학이지.

어린 선비님도 알다시피 계절에 따라 해의 높이가 달라지지.
여름에는 해가 높은 곳에 떠 있고, 겨울에는 낮은 곳에 떠 있거든.

뿐만 아니라 간혹 일식과 월식도 일어나지.
으아악~!
신께서 노하셨다!

*망종(芒種) – 양력 6월 5일, 24절기 중 씨를 뿌리는 날이다.

그야말로
경험의
산물이겠죠!
정답!
경험

매일 해와 달의 이동 경로와 별의 위치,
기후의 변화 등을 기록하고 오래 축적해야만

거기에서 해와 달, 별, 기후
변화의 일반적인 원리를 알 수
있기 때문이야.

나의 '기학'이 바로
철저하게 구체적인 경험을
통해 우주의 일반적인
원리를 파악해 내는
학문이란 거지.

역수학도 천문이나 계절의
변화에 대해서 매우 정확하게
기록하고

그것을 통해서 천문과 계절의 운동과
변화를 읽어 냈어.
오늘 일식이
있을 것이옵니다.

그러므로 역수학은
'기학'과 아주 잘 맞는
학문이라고 할 수
있겠지?
네!

그리고 '물류학'도
'기학'에 속하는
것이라고 할 수 있어.
물류학?

딩동~!
누구세요?

혹시 저를
말씀하시는
건지?
아니,
전혀 달라!
택배
물류
박사

'물류학'이란 곡식, 채소, 풀, 나무, 들짐승, 날짐승, 물고기 등을 종류에 따라 분류하는 학문이야.
아하, 이건 현대의 생물학같은 건가요?

꼭 그렇지는 않아. 물류학에서 사용한 분류 방식은 매우 다양해. 이것들의 공통점은 뭘까?
맛있겠다!
사탕
꿀
설탕
엿
조청

모두 단것들 아니에요?
그렇지, 맛을 기준으로 사물들을 분류했을 때, 이것들은 단맛에 포함될 거야.

그럼 이건 어떻게 구분할까?
살모사
사자
토끼
곰
개
참새
뭐지?

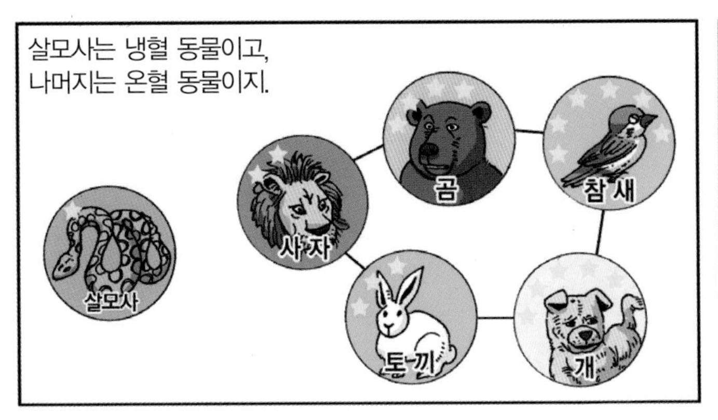
살모사는 냉혈 동물이고,
나머지는 온혈 동물이지.
곰
참새
사자
살모사
토끼
개

이번엔 사는 곳을 기준으로 나눠 볼까? 하늘에서 사느냐, 땅에서 사느냐, 물 속에서 사느냐?

이렇게 분류하면,
참새는 하늘을 날고,
나머지는 땅에서 살지.
참새
살모사
사자
곰
토끼
개

이 외에도 많은 분류가 가능할 것이야.
포유류, 조류, 파충류로도 분류할 수 있어요.

'물류학' 역시 사물에 대한 수많은
경험과 관찰,

그리고 경험과 관찰에 의한 일반 원리의
발견을 통해서만 가능한 학문이야.
너희들은 다른 종류구나!

여우를 한 마리만 보고

어떻게 여우의 일반적인 성질을 말할 수 있겠어?
여우
여우는 귀가 엄청 크고 덩치가 자그마합니다.
허허허

그런데 이놈은 왜 귀가 작죠?
그, 글쎄요? 어릴 때 귓병에 걸렸나?

한국인을 한 번도 본 적이 없는
외국인이 잘생긴 한국 남자를 보고
오우!

한국 남자들
모두
잘생겼습니다!

아이 러브
코리아!
이러면
설득력이
없잖아?

뭐 한국 남자들이
잘생기긴 했지만
말이야, 하하하!
하하하!
오우!
당신들도
한국인?

한국 남자
잘생겼다는 말
취소합니다!
그게
아니라….
후다닥—

사물을 분류하기 위해서는
이처럼 같은 무리에 속하는
많은 사물들을 관찰해야 할 뿐
아니라

다른 무리에 속하는 사물들과의
비교도 필요하지.

사자와 토끼에게 유사한 면, 즉
하나로 묶을 수 있는
점이 있는지 알기
위해서는

사자와 토끼에 대해서 알아야 할 뿐만
아니라

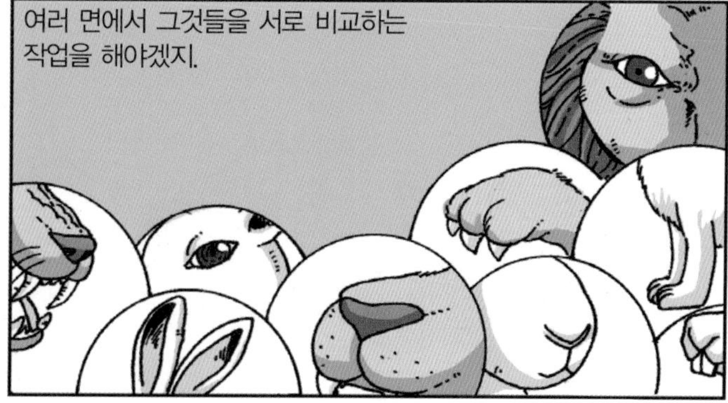
여러 면에서 그것들을 서로 비교하는
작업을 해야겠지.

이처럼 경험과 관찰, 그리고 비교가 필요한 '물류학'도 '기학'에 속하는 것이라네.
역수학
물류학
기학
췌마학
낭유학

그런데 사물을 분류하는 게 무슨 소용이 있어요?
어허, 모르는 소리!

그것이 바로 과학의 시작이거늘!
과학
엥?

만약에 어린 선비님이 위에서 말한 살모사, 사자 등의 동물을 모른다면?
랄랄랄 라라~!

그 동물을 보았을 때 어떻게 할 건가?
응? 아주 재미있는 동물이네?

뜻하지 않은 피해를 볼 수도 있겠지?
끄 아아아!

만약 그 동물들을 잘 분류해 놓은 도감을 보았다면
살모사

상황은 달라졌겠지?
앗, 독사다! 얼른 도망가자!

또 분류에 대해 잘 안다면 산 속에서도 충분히 먹을 것을 구할 수 있지.
와, 이건 산딸기잖아!

이렇게 '물류학'은 백성들의 삶에 직접적인 이익이 되는 학문이야.
그래서 사물을 꼼꼼하게 분류해 놓는 것이 과학의 기초가 되지.
오호, 분류!

다음으로 '기용학(器用學)'을
들 수 있을 거야.

도구를 제작하여
사용하는 것을 다루는
학문이야.
이건 것의
공학?

기구(器)의 사용은 우주 만물을
이루고 있는 '기(氣)'를
활용하는 것이라고 할 수 있어.

우리가 어떤 것을 요리할 때에
솥이나 냄비를 사용해.
이때 솥이나
냄비는 기구에
해당하지.

그런데 솥이나 냄비만 가지고 요리를
할 수 없어.
나 불이
있어야지!
화르르~

따라서 냄비나 솥은
불이란 기를 이용하는
도구라고 보면 돼.

옷과 집은 춥거나 더운 밖의 기운이 침입하는
것을 막고, 내부에 품은 기운을 지켜 주지.

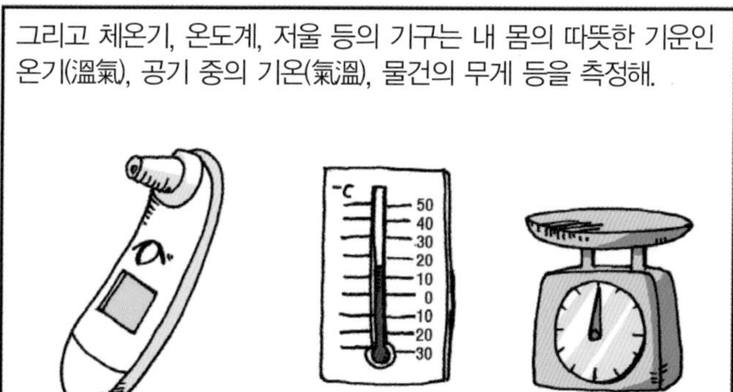
그리고 체온기, 온도계, 저울 등의 기구는 내 몸의 따뜻한 기운인
온기(溫氣), 공기 중의 기온(氣溫), 물건의 무게 등을 측정해.
°C
50
40
30
20
10
0
10
20
30

한 마디로 말해서
우리가 사용하는 기구들은
모두 기를 활용하거나
측정하기 위한 거라고
할 수 있지.
앗,
차가워!

이러한 활용이나 측정은 구체적인
경험이며 관찰이야.
80kg

그래서 나는 기구를 사용하는 학문은 기를 사용하여 실험하고 증명하는 것이라고 생각하지.
기

즉 '기용학'이 '기학'에 속하는 학문이라는 말이야.
기용학
역수학
물류학
기학

이처럼 '기학'은 여러 학문과 깊은 관련성이 있어.
기학

나아가 여러 직종에 종사하는 사람들 역시 기의 운동과 변화에 기초를 둔 '기학'에 발을 딛지 않고서는 역할을 다 할 수 없다고 생각해.
기 학

예를 들어 선비는 학문을 연구하는 일에 종사하는 사람이야. 주로 도덕, 정치, 문장 등을 공부하지.
공자 왈~,
맹자, 왈~!

그런데 선비가 기의 운동 변화를 알지 못하면 어떻게 될까?

도덕을 불변하는 것으로 여기게 될 거야.
도덕은 영원하다!
부동석
남녀칠세

그러면 이들은 변화하는 세상에 대응하지 못할 거야.

반면에 기의 운동 변화를 알면 시대에 따라서 변통해야 함을 알지.

이 선비는 사회의 변화에 발맞춰서 예전의 도덕, 학문, 사상을 다시 해석할 거야.
이제는 남녀 평등의 시대입니다!

이런 선비가 벼슬길에 나가 정치를 한다면, 당연히 시대에 맞는 정책을 내놓겠지?
여군창설
관리등용
출산휴가

선비뿐만 아니라 농사를 짓는 농사꾼도 기의 운동과 변화에 대한 이해가 필요해.
아이고, 제가 뭘 알아유?

아니, 자네는 이미 잘 알고 있다네.
제가유?

농사를 짓기 위해서는 농사 지을 땅이 얼마나 비옥한지, 그 땅에서 잘 자랄 작물이 무엇인지,

언제 김매기를 해야 할 것인지, 물을 언제 얼마나 줘야 하는지 알고 있거든.
농부는 그런 거 다 알고 있시유~.

그런데 훌륭한 농사꾼은 여기에서 그치지 않아. 언제 장마가 질지, 아니면 가뭄이 올지 예측할 수 있어야 하거든.
급할 때 대비를 할 줄 알아야 진짜 농사꾼이쥬.
그게 바로 변통인 것이오!

비상 상황에 처해서 적절한 행동을 하는 것이 바로 기의 변화를 아는 것이지!

이 외에도 상인이나 장군, 그리고 한 나라의 재상 역시 기의 운동 변화와 변통을 알아야 해.

곡물을 사고파는 상인을 예로 들어 볼까?
최고 품질 신속 배달!
송물산

우선 상인은 올해에 어느 곳에서 어떤 곡식이 풍년이고, 어느 곳에서 어떤 곡식이 흉년인지를 파악해야 해.
보리 작황이 형편없군….

그래서 풍년이 든 곳에서 곡식을 싼 값에 사서, 흉년이 든 곳에 가서 팔아야 많은 이윤을 남길 수 있거든.
수입 보리가 쌉니다, 싸요~!

상인은 언제나 각 지역의 기후와 여러 상황을 체크하여
수확량이 달라지면, 다른 곳에 가서 쌀을 살 생각을 해야 해.

氣學
제9장
통민운화와 백성들의 삶
통민운화

어린 선비님은 사람이 살기 위해서 가장 필요한 것이 무엇이라고 생각하는가?
그야 먹는 거죠.

먹어야 산다!
지극히 본능적이군!
와구와구~

그럼 제 말이 틀렸다는 말인가요?
아니 아니, 정확히 맞았지.

정확하게는 의식주, 즉 옷과 먹을 것과 살 곳이 필요하지.

이 가운데 하나만 없어도 살아가기 매우 힘들어.

그게 통민운화랑 무슨 관계지요?
백성들의 삶에서 가장 중요한 것이 무엇인가를 알아야 하지 않나!

그런데 이런 생각을 하면 어떨까?

못 입고 못 먹고 제대로 잘 곳 없는 사람에게
배고파…, 추워.

이렇게 훈계를 한다면 말야.
남의 것을 훔치지 말고 착하게 사시오!

과연 어떻게 될까?
지금 날 놀리는 거야?

이 정도는 그래도 양반인 셈이지.

가난하고 어려워도 부처님같은 마음으로 이겨 내는 사람도 있어.
나는야, 착한 사람~!

그런데 만약 그 사람에게 돌보아야 할 자식이나

노부모가 있다고 하면?

자식과 노부모가 배고픔과 추위 때문에 죽어 가는데
우린 괜찮다.

그것을 손 놓고 바라보고만 있을 사람이 얼마나 될까?

그 사람은 도둑질을 해서라도 먹고살 것을 마련할 거야.
나는 죽어도 우리 가족은 살려야 해!

물론 그런 행동이 선하다고
할 수는 없지만,

한편으로는 이들의 행동을 무조건
비난할 수도 없는 것이지.
난 가족을
살렸다!

같은 상황을 맹자의
사상으로 이야기를
풀어 보자고.

맹자는 중국 전국 시대 당시의 제후들에게
'왕도 정치(王道政治)'를 하도록 설득했던 분이지.

왕도 정치가
뭐죠?
'왕도 정치'란
말 그대로 해석하면,
왕이 왕으로서의
도리를 실천하는
정치라네.
王道
政治

자식이면 자식의 도리가 있고 아버지면 아버지의 도리가 있는
것처럼, 왕에게도 왕의 도리가 있지.

그렇다면
왕으로서의
도리는
무엇일까?
그게 말이죠,
왕은 나라의
미래를 위해….
희망을 주고….
왕

뭐 있나?
백성들이 편안하고
행복하게 살도록
하는 것이지!
그렇게
쉬운
거였어?

그런데 맹자가 주장한
왕도 정치는 여기서 끝나는
것이 아니야.
맹자

맹자는
제자백가 중
어디에 속했던
사람이지?
공자님과
함께 유가지요.

그렇다면 유가에서
바라는 사회가
어떤 거라고?
도덕적인
사회!
도덕

그렇지. 그러니까 맹자가 말하는 '왕도 정치'의
최종 목적은 모든 백성이 도덕적인 사람들이 되도록
하는 것이야.

모든 백성이 도덕적으로 흠 잡을 데 없는 사람이
되도록 하는 정치가 바로 왕도 정치야.

그런데 말했다시피 당장 먹고 입을 것이 없는데
도덕적으로 살라고 할 수는 없겠지?
도덕
밥을 주고
도덕을
얘기해라!

그래서 맹자는 왕도 정치를 위해서는
무엇보다 백성들이 먹고 살 수 있게
해야 한다고 했지.
백성들을
배불리는 게
최고의 덕!

그리고 나름대로 구체적인
계획을 제시했는데, 바로
'정전제(井田制)'였어.

정전제가
뭐예요?
일종의
토지 제도인데
간단히 설명해
보자면…!

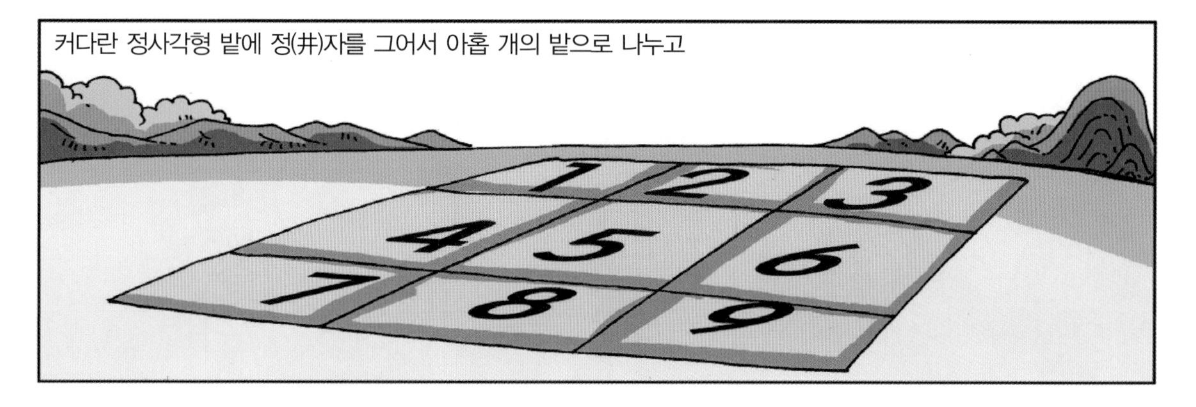
커다란 정사각형 밭에 정(井)자를 그어서 아홉 개의 밭으로 나누고
1
2
3
4
5
6
7
8
9

그 밭 중에 여덟 개의 밭은 여덟 가구가 각각 하나씩 맡아서 농사를 짓지.

그리고 자신들이 맡은 밭에서 농사를 지어
나온 것을 자신들의 몫으로 하고,

가운데 남은 밭 하나는 여덟 가구가 함께 농사를 짓고,
그 밭에서 나온 것을 세금으로 바치는 제도였지.

그런데요?
그런데라니! 이건 대단한 개혁이라고!

이것은 농사를 지어서 내는
세금이 전체 수확량의 1/9에
불과하다는 것을 말해.

당시로서는 매우 파격적인
세금 인하였지.
절반을 가져가는 경우도 있다고!

뿐만 아니라 백성들이 집과 농지 부근에 뽕나무를 심고 누에를 쳐서 비단옷을 입게 하고,

돼지나 닭을 길러서 고기를 먹을 수 있게 해야 한다고 주장했어.

성을 쌓거나 도로를 닦는 등의 국가적 사업은 농한기에 해서

농번기에는 백성들을 동원하지 않고 농사에 전념할 수 있도록 해야 한다고 했지.

이렇게 하면 백성의 삶은 당연히 풍요로워질 거야.

맹자는 이처럼 백성들의 삶이 풍요로워진 뒤에

학교를 세워 백성을 교육시키고 도덕적으로 만들어야 한다고 했어.

하지만 맹자의 주장은 당시의 지배층에게 받아들여지지 않았어.

그런데 여기서 우리가 주목할 점은, 이 제도를 지배층이 받아들였는지 여부가 아니야.
정전법

맹자는 분명히 유가 사상가야. 그래서 인간의 도덕성과 도덕적인 정치를 주장했던 분이었어.
도덕

그럼에도 불구하고 맹자와 같은 유가 사상가 역시도 백성들의 먹고사는 문제가 중요하다고 강조했음을 주목을 해야 해.
福

나 역시 백성들이
먹고사는 문제를
중요하게 여겼어.

백성들의 삶에 중요한 비중을 차지하는
농업, 상업 등을 특히 중시했지.

농업이나 상업은 '기학'이라는
학문 자체와도 밀접히 관련된
것이잖아?

여기에서 더 나아가 나는 백성
모두에게 이익이 되는 것은
도덕적으로 선한 것이라고 했지.

이익을 긍정적으로 본 것은 유학,
그리고 유학의 한 흐름인
성리학에서는 찾아보기 힘든
견해였어.
뭐라고?
돈?

유학에서는 원래 인간이 이익을
추구하는 것을 별로 달가워하지
않았어.
선비가 돈을
밝히다니….

공자 역시 "군자는 옳음에
밝고, 소인은 이익에 밝다."라고
했었지.
군자가 할
일은 따로 있소!

군자는 '임금의 아들'이란 뜻으로
지배층을
가리키고

그와 반대로 소인은 피지배층,
즉 백성을 가리킨 말이지.

지배층은 당연히 남들을
다스리므로 자신의 이익만을
추구해서는 안 되고
이익

나라와 사회, 백성이 얼마나
행복하게 잘 사는가에 관심을
가져야 하겠지.

공자가 이런 이야기를 한 것은 당시의
지배층이 자신의 이익만을 밝히는
것을 비판한 거지.
지들만 챙기고!
쾅!

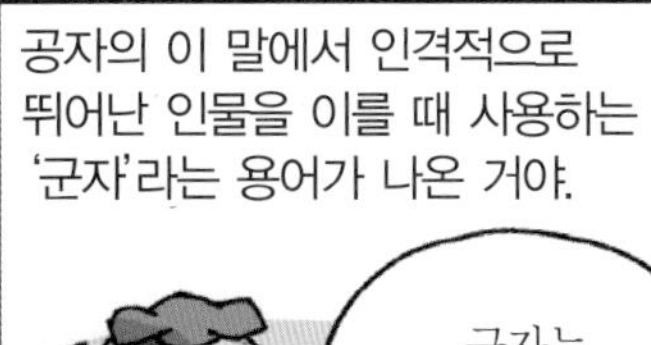
공자의 이 말에서 인격적으로
뛰어난 인물을 이를 때 사용하는
'군자'라는 용어가 나온 거야.

군자는
저래야
하느니라.

다시 말해서 이익 추구를 안 좋게
여긴 유가의 윤리관은 일반 백성이
아니라 지배층을 겨냥한 거지.
君

이것은 지배층의 윤리와
일반 백성의 윤리를 나누는
유교적 사고를 보여 주는 거야.
백성
지배층

그런데 내가 살았던 조선 후기
사회는 이전의 신분 질서가
흔들리고 있었어.

이런 상황에서
군자의 윤리와
소인의 윤리를
나눌 수는
없었겠지?

그리고 내가 보기에 우리 조선 사람만이
아니라 다른 나라 사람들도 우리와 같은
인간이란 말이지.

그렇다면 다른 나라 사람들의
윤리나 우리 조선 사람의 윤리가
다를 것이 없지 않을까?
Ethics
윤리
倫理

그리고 서로가 서로에게
이익을 주고,

서로의 이익을 침범하지 않는 선에서
자신의 이익을 추구하는 것은
윤리적으로 선한
것일 거야.

무엇보다도 인간들 모두가 풍요롭고
행복하게 사는 것이 바로 선한
일이라는 거지.

그래서 나는 인간이 이익을 추구하며 사는 일 자체를 나쁘게 보지 않았어.

그보다는 그 이익 추구가 나 혼자만 잘 먹고 잘 살겠다는 건지,
다 내 거야!
알사탕

모두를 위한 건지 따져 봐야 한다고 생각했지.

그래서 우리 모두에게 득이 되는 이익 추구는 선하다고 보아야 한다고 주장한 거야.
이익
이익
이익

또 내가 살던 조선 후기 사회에도 이미 상업이 발달하고 있었어.

상업이라고 하면 무엇이 생각나나?
물건을 사고파는 거겠죠?

물론 상업은 물건을 유통시키고 가게를 차려 장사하고 무역을 하는 거겠지.
그런데 당시에는 요즘처럼 길도 잘 닦여 있지 않았고
외국과 교역하는 것도 그리 쉽지 않았어.
옛날 장사는 안 쉬웠어.
헉헉!

장사를 하려면 등짐을 지고 산길을 오가거나
경사 50도
후덜덜~!

산도적을 만나고 호랑이, 곰같은 동물에게 당하기도 했지.

외국과의 무역은 더더욱 힘들었어.
저 망망대해를 삼십 일이나 가야 한다고.

그렇다면 왜 상인들이 그 어려움을 뚫고서 장삿길에 나선 것일까?
그야 돈을 벌기 위해서….

그렇지! 이곳의 물건을 저곳에서 팔아서 많은 이익을 남기기 위해서였어.

이처럼 위험을 무릅쓰고 장삿길을 나선 것을
어깨가 부서질 것 같구나!
삘삘~!

이익 추구 이외의 것으로 설명할 수 있을까?
그래도 청나라에 이 홍삼을 가져가면 분명 다섯 배는 받을 거야!

그리고 이렇게 상인이 이익을 추구하는 것을 나쁘다고 할 수 있을까?
나는 돈 벌고!
사는 사람은 없는 물건 살 수 있으니까 좋고!

오히려 상인이 이익 추구를 위해서 물건들을 이리저리 운반하기 때문에

백성들은 자기의 땅에서는 안 나는 것을 얻을 수 있지.
산골에서 바다 생선을 먹다니!

생각해 보게. 상인이 없다면 강원도 산골에 사는 사람이 어떻게 바다 생선 맛을 볼 수 있겠어.
몇 백 년 뒤에는 살아 있는 생선도 먹을 수 있을 거야!
에이, 설마….

그래서 나는 인간이 이익을 바라는 욕구를 도덕적으로 나쁜 것으로 보지 않아.

물론 남을 배척하고 나만 잘 살겠다고 이익을 추구하면 도덕적으로 나쁜 것이지만,
쿵쿵쿵~
골프장 만들 거니까 꺼져!

내 이익을 추구하고자 하는 욕구가

남에게도 이익이 되는 경우라면 도덕적으로 선한 것으로 볼 수 있다는 것이지.

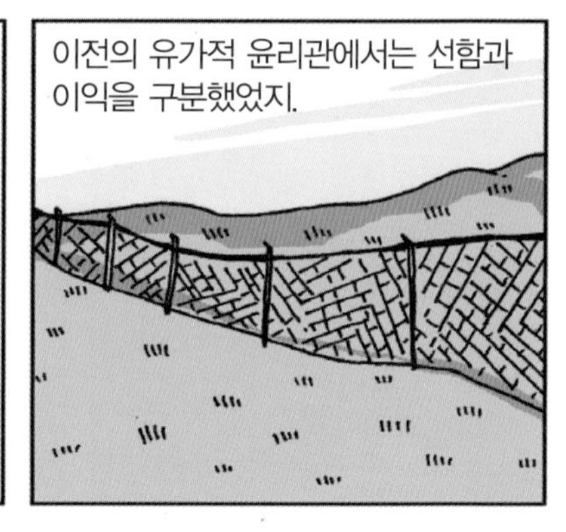
이전의 유가적 윤리관에서는 선함과 이익을 구분했었지.

하지만 나는 시대와 상황이 달라졌으니 유가적 윤리관도 바뀌어야 한다고 생각했어.

즉 이익을 추구하더라도 그것이 다른 이에게 피해가 가는 것이 아니라 도리어 이익이 되고
이익

남의 삶을 풍요롭게 해 준다면
윤리적으로 선한 거지.

이것은 이전의 도덕을 변화한 시대의
상황에 맞게 바꿨다는 것으로,

즉 '변통'했다고 할 수 있겠지.

이처럼 백성들이 먹고 입고 살 수 있게 해 주고, 이를 바탕으로 하여 백성을 다스리는 일이
바로 통민운화의 핵심일세.

또한 통민운화는 변화하는
현실에 맞게 도덕을
다시 정하고

정치 행위를 변화시키고
민주

법률을 바꾸고
평등
법

의식(儀式)을 바꾸는
일을 포함해.

사회적 제도를 변통, 즉 변화시켜서 현실에 맞게 만든다는 말이지.

만물 중 일부인 우리 인간도
기로 이루어져
있으며,

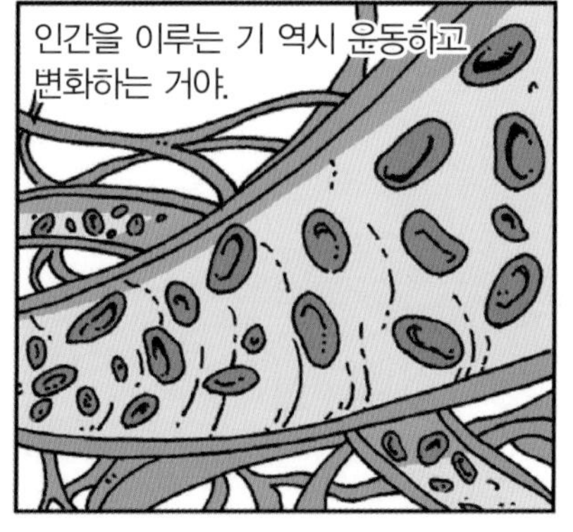

자기 자신, 사회, 국가를 현실에 맞게 변화시켜야 해.

이처럼 인간이 만물의 변화에 맞춰 스스로를 변화시키는 것이 바로 통민운화이고,

내 '기학'에서 가장 중시하는 것이 바로 이것이란다.
통민운화

생각보다 너무 빨리 끝나버린 것 같은데요?
어허허…, 그런가?

내가 기학에 대해서 전부 다 말한 것은 아니야.
엥?

이 책에서는 '기학'의 내용 중에서 가장 핵심적인 내용, 즉 큰 줄기만을 다루었어.

하지만 나의 이야기를 다 전달하려면, 몇 배가 되는 양의 책이 필요할 거야.
氣

하지만 이 모든 이야기를 다 한다는 것은 현실적으로 매우 어려워.
그렇겠죠?

나중에 한문으로 쓰여 있는 '기학'을 읽으면 좋으련만….
에이, 그런 험한 말씀을….

끝이 보이는군요.
마지막으로 한마디만 하고 끝내자!

氣學
제10장
최한기 '기학'의
의의와 한계
기

드디어 이 책의 마지막 장이군.
짧게 해 주세요!

이 장에서는 나의 '기학'이 갖는 의의와 한계에 대해서 말할 거야.

이거 참! 내가 내 사상에 대해서 평가하려니 쑥스럽네.
혼자 북 치고 장구 치시네.
핫핫

하지만 최대한 객관적인 입장에서 나의 사상, 즉 '기학'을 검토해 보도록 하지.
기학

우선 '기학'의 의의부터 말해 보도록 하자.
의의

그런데 어린 선비님들이 먼저 알아 둘 게 있어.
뭔데요?

어떤 사상의 의의를 말하기 위해서는 시대 상황과 연결해서 생각해 봐야 한단다.

다시 말해서 조선 시대에는 의의가 있었지만

지금은 아무런 의의도 없는 것이 있고,

그 반대인 경우도 있거든.

의의만이 아니라 한계 역시 시대 상황과 연결해야겠지?

나의 '기학'은 '운화'라는 원리로 성리학과 당시의 불변하는 사회를 비판했어.

성리학에서는 원리를 변하지 않는 것이라고 보았어.

따라서 성리학을 지배 이념으로 삼은 조선 사회도 역시 변하지 않는 원리에 기반을 두고 국가를 운영했어.

그래서 임진왜란과 병자호란 이후에 변화하는 사회의 움직임에 능동적으로 대처하여 스스로 변화하지 못하고

결국은 외부의 세력에 의해서 변화되고 말았지.

나는 이런 사회에서 '운화', 특히 변화를 강조하는 사상을 폈어.
모든 게 변화하며, 인간 사회도 그러한 변화에 발맞춰야 한다고 주장했어.

그러한 생각과 행동을
'변통'이라고 했어.

'변통'을 강조하는 일은 어린 선비님들이 사는
현대에는 더욱 중요하다고 할 수 있어.
변 통
變通
변 통

지구 환경의 변화, '세계화'라고 일컬어지는 자본 시장의 변화,
급격한 과학의 발전 등 현대 사회는 더 빠르게 변화하고 있거든.
981

이런 현실에서 과거에 가지고 있었거나 현재에 가지고 있는 생각,
도덕, 제도만을 고집하다간 그 변화의 흐름을 놓치고 말 거야.

세상은 언제나
변화한다는 것을
생각해야 해.

그래서 능동적으로 나, 우리 사회, 우리 국가를 변화시켜 세상의 변화에 발맞출 수 있어야 해. 즉 '변통'할 수 있어야 하는 거지.
氣

그리고 내 사상에는
또 다른 장점이 있지.
뭔데요?

바로 외래 사상을 주체적으로
수용했다는 점이야.
福

여러분에게 소개한
《기하》라는 책에는
잘 드러나 있지
않지만,

내가 지은 책들
가운데 상당수는
당시 서양의 과학 기술을
수용하여 소개한
것들이거든.
종류가
꽤 많네요!
신기천험
서의약론
전체신론
박물신편

그런데 나는 단순히 서양의
과학 기술을 소개하는 데에만
그치지 않았어.
내 나름대로
고민을 했지.

서양의 과학 기술을 그냥
소개하는 일도 의미 있지만
서양

그것을 주체적인 작업이라고
할 수는 없잖아?
난 전달자일
뿐이지.
과학
기술

서양의 과학 기술을 최대한 객관적으로
소개하되,

그것의 사상적인 의미에 대한 설명은 서양의 것을 따르지 않고 내 나름대로의 해석을 넣었어.
서양인들은 기에 대해서 전혀 모르는군.

그렇게 해석할 때 중요하게 쓰인 낱말이 바로 '기(氣)'였어.
氣

앞에서도 말했지만 이 '기'는 우리의 전통적인 사상 속에서 뿌리 깊게 자리 잡은 것이야.

나는 서양 과학을 받아들일 때에도 우리의 전통적인 '기'에 근거해서 받아들였지.
기

다시 말해서 굳건한 나의 입장에서 외래의 것을 받아들인 셈이야.
기

현대에도 이런 자세는 필요하다고 생각해.
어떻게요?

앞에서도 말했듯이 '세계화'된 세상에서는 어찌 보면, 외국의 것과 우리 것을 구분하는 것 자체가 의미 없는 것일 수 있을 거야.
와우! 뉴욕이다!
서울이에요.
전 필리핀 출신.
난 한국인.
이게 우리 전통 가옥이지요.

특히 우리 것만 좋고, 외국 것은 나쁘다는 배타적인 자세는 매우 경계해야 해.
보지도 마!
그게 뭔데?

하지만 다르게 생각하면 우리 것 중에는 이 세계에 유일한 것도 있어.

그러므로 우리가 전통을 지키지 않으면

우리의 전통은 세상에서 자취를 감출 거야.

만약에 그러한 것들이 사라진다면 인류 전체의 문화적 재산 가운데 하나가 사라지게 되는 거야.
기술만 있고 잘 살면 뭐하나? 한국은 뿌리가 잘린, 혼이 없는 나라다!

쉬운 예를 들어 볼게.
아, 김치를 말하면 되겠군.

예전에 외국 사람들은 김치 냄새를 아주 싫어했지.
맛나김치
웩! 쉰 냄새!

그래서 우리가 김치를 없애버렸다면 어떻게 되었을까?

세계화를 위해 김치를 먹지 말자!
김치 금지!
한국에 오는 세계인을 위해 김치를 없앱시다!
싫다! 김치
콜라, 피자만 먹자고요!
PIZZA

우리가 지키지 않으면 김치는 결국 없어질 것이고
김치

그것이 없어진다는 것은 우리만이 아니라 인류 모두에게 손실이 될 거야.
김치란 좋은 음식이 있었다던데….
21세기 음식들

다행히 김치는 점점 세계인의 음식으로 자리잡고 있지.
세계 최고의 발효 음식이 김치다!
와!
김치

기무치는 우리가 만든 세계 음식입니다!
무슨 뚱딴지 같은 소리야? 우리 김치라고!
기무치
김치

이런 의미에서 우리가 우리 나름의 주체적인 입장에서 외래 문물을 바라보고

수용하는 자세가 필요하다는 거야.
우리나라에도 맞겠지?

'기학'의 또 다른 의의는 이익을 추구하고자 하는 인간의 욕구를 긍정적으로 인정하여,
착하지!
이익

상업의 발달을 돕는 사상을 내놓았다는 것이야.

물론 이익을 추구하는 것이 무조건 좋다는 것은 아니야.

이익만을 추구하다 보면,

사람들 사이에 다툼이 있을 수도 있으니까.

그러나 내 생각은 인간이 살아가기 위해서는 자연스럽게 이익을 추구해야 하고,
이익

그러한 욕구 자체를
나쁘다고 할 수
없다는 거야.
이익

그리고 더 나아가 인간이 더욱 많은
이익을 추구하고자 하는
욕구가 있기에

상업을 발달시키고
과학을 발달시켰어.

그래서 이익을 추구하는 것은
긍정적인 일이야.

이와 같은 사고는 내가
살던 조선 후기 사회에서
상업이 차츰 발달하게
된 것과도 관계가 깊어.

상인이 이익을
추구하지 않는다면!
뭐 하러 힘들게
먼 길을 다니며
장사를 하겠어?

그리고 상인의 행동, 즉 상품을
이동시키는 것은 결국 백성의 삶을
풍요롭게 하거든.
나는 이것에
주목했지.

다시 말해서 이러한
이익 추구 행위로 인해
백성의 삶이 풍요로워지니,

이익을 추구하려는 욕구가 백성들의 삶의 발전과 연결된다면
선하다고 평가할 수 있다는 것이지.

당연히 이것은 상업 발달을 돕는 사상이라
할 수 있을 거야.

또 하나의 의의는 인도적인 사회 사상을
내놓았다는 거야.

나는 그것을 '대동사상(大同思想)'으로 표현했어.
대동사상이오?
大同
함께 어울린다는
뜻이지.

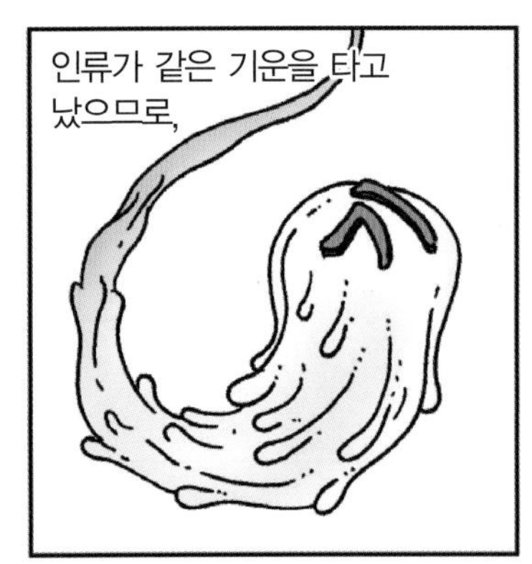
인류가 같은 기운을 타고
났으므로,

사는 지역에 따른 사소한 차이는 있을 수 있지만,
크게는 같다고 생각했지.

그래서 인류 모두에게 공통되는 도덕이 있다고 믿었어.
도덕
예의가 있어야지.
사람을 사랑해야 해.
자식을 보호해야지.
부모님을 존경해야 해.
성실하게 살아야지.
도둑질은 안 돼!
때리는 건 금물!
당연!

이처럼 같은 기운을 타고 났고 공통된 도덕을 가진 인류라면,

서로가 적대시하거나 다툴 이유가
없다고 생각했지.

이런 내 사상을
요즘 사회에 적용시키면 전쟁이
줄거나 사라져서 평화로운
세상이 될 텐데 말이야.
아하하하
잘난 척?

이처럼 '대동'이라는
인도적 사회 사상을
내놓은 것은
내 기학의 긍정적인
측면이기도 해.

그러나 다른 한편으로는
내 기학의 한계이기도
하단다.
한계라뇨?
휴우~

휴,
나는 세상을 너무
낙관적으로 보았던
모양이야.

내가 살던 당시에는 서구의 세력들이 우리 조선에
몰려와 서로 무역을 하자고 요구했어.
우리
무역하자.

나는 이러한 무역이 서구와 조선 모두에게
도움이 되는 것이라고 생각했지.
서로 좋겠지?

서로가 서로에게 없는 것을
제공함으로써

서로가 모두 풍요로워질 것이라고
생각했거든.
하하하
홍삼
CAMERA

하지만 그게 아니었어.

근대 이후의 발달한 과학 기술로 만든 우수한 무기를 앞세운 이들은
평등한 관계 속에서의 무역을 원하는 것이 아니었어.
철도부설권을 달라고 할까?
금광이 많다고 들었는데….
우리나라 물품을 비싸게 팔아야겠다.
어서 문을 여시오!

인류가 서로 간에 평화를 원할 거라는 나의 생각은
전 세계 사람들이여, 환영합니다!
오냐!
쾅

여지없이 깨져 버리고 말았단다.

이러한 나의 낙관론은 기학의 입장에서 봐도 잘못된 것이었다네.
본인이 쓰고도 잊으셨습니까?
낙관
기학

《기학》과, 다른 책에서도 누누이 강조하던 것이 경험, 관찰 등이 아닙니까?
면목이 없다.

나는 이것을 이론적으로는 주장했지만,

정작 서구에 대해서는 그것을 제대로 실천하지 못했던 거야.
괜찮겠지?
서구

그들을 여러 차례 겪어 보고 자세히 살펴보고

그들에게 우리를 침략하고자 하는 의도가 없음을 증명한 다음에
We are the world!
평
화

이러한 낙관론을 폈어야 했거든.
들어와!

이것은 내 일생일대의 실수라고 할 수 있어.

대충 내 사상에 대해서 반성을 해 보았어.

마지막으로 '반성'에 대해서 나의 생각을 말해 보려고 해.
수업이 아직 안 끝났네.
反省

어린 선비님 시대의 사람들은 '반성'이라고 하면 잘못한 것을 뉘우치는 것으로만 생각하지?

하지만 '반성'의 원래 의미는 자신의 행위를 돌이켜보는 것을 말하는 거야.

하루를 반성한다는 것은, 나의 모든 행동을 돌이켜 보아 잘한 것이 무엇이고,
거울아 거울아, 오늘 내가 잘못한 것이 무엇이냐?

잘못한 것이 무엇인지를 판단하는 것을 말해.
너무 먹었네.
파인애

그래서 잘한 것은
앞으로 더 잘하고

잘못한 것은 다시는 그와 같은 일을
하지 않겠다는 결심을 하는 거야.
안녕!
HOT POT
콜

우리가 이런 반성을 하는 데에
도움을 주는 것이 바로 옛 사람들의
글이나 행동이야.

옛 사람들의 글이나 행동에서
잘잘못을 살펴보고,
효도!

본받을 점을 찾아서
건강하세요!

내가 그들의 잘못을 따르지 않고,
옳은 길을 가야겠지.

여러분들이
나의 책인 《기학》과
내 설명을 그대로
받아들일 것이
아니라,
기학

자신을 반성하는 기회로 삼아야 해.
거울아 거울아!
왜!

오랫동안 내 말을
들어 줘서 고맙네.
와,
고생하셨어요!
허허

이런 기회를
갖게 되어 정말 기뻤네.
앞으로도 공부 열심히
하시게!
네,
알겠습니다!

나는 이제 내가 있던
곳으로 돌아가서
제삿밥이나 먹어야지.
잘 계시게!

최한기,
더 알아보기

최한기가 접한 근대 서양 과학

최한기는 중국의 서양인 선교사들이 쓴 한역서학서를 통해서 서양의 근대 과학 기술을 접했습니다. 과학 기술에 대한 최한기의 관심은 어떤 한 분야에 정해져 있지 않고, 천문학, 의학, 농업 기술, 수리(水理) 기술, 수학, 기계, 기상학, 역학(曆學), 물리학, 광학(光學) 등 폭이 넓었습니다. 이들 가운데 최한기는 자신의 기학을 증명하는 데에 천문학과 의학을 중요하게 여겼습니다.

▲ 〈지구전도〉
1834년 중국 장정부의 〈지구도〉를 최한기와 김정호가 목판으로 만든 지도이다.

▲ 〈지구후도〉
〈지구전도〉와 한쌍으로 제작된 지도이다.

최한기 이전에도 서양 선교사들이 서양 과학을 소개했고, 그것을 조선의 학자들이 받아들인 것을 많이 볼 수 있습니다. 실학자인 홍대용의 《의산문답(醫山問答)》은 브라헤(T. Brahe, 1546~1601)의 천문설을 받아들였다고 합니다. 이 천문설은 목성, 화성, 토성, 금성, 수성의 다섯 행성들이 태양 주위를 돌고, 태양은 정지한 지구 주위를 돈다고 합니다. 그래서 태양을 중심으로 하는 우주가 지구를 중심으로 돈다고 본 것입니다. 물론 이것은 지금 우리가 알고 있는 사실과 전혀 다릅니다. 하지만 여기에는 지

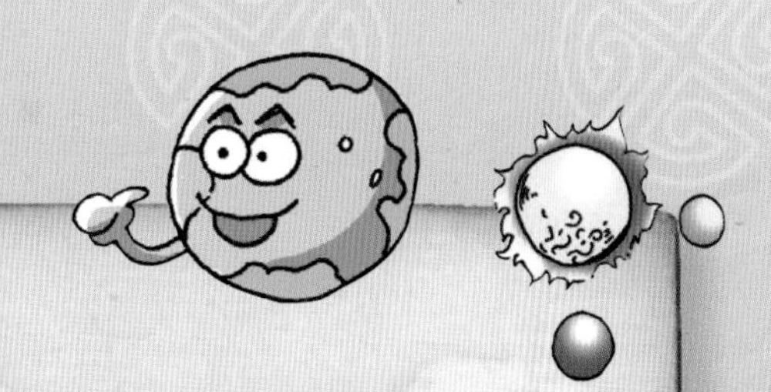

구(地球), 즉 땅이 둥글다는 생각이 담겨 있었고, 이것은 실학자들을 중국 중심의 사고에서 벗어나게 한 일이었습니다.

최한기가 받아들인 천문학은 이보다 훨씬 이후의 것으로 한역서학서인 《담천(談天)》(1859)을 통해서였습니다. 이 책은 영국의 천문학자인 허셜(J. Herschel, 1792~1871)의 《Outline of Astronomy》(1851)에 나오는 태양중심설을 체계적으로 소개하고 있습니다. 태양중심설이란 지구가 태양 주위를 공전한다는 것으로, 더 이상 지구가 우주의 중심이 아니라 우주의 무수한 별들 중 하나라고 보는 것입니다. 이것은 지구가 태양 주위를 돈다는 현대의 우주론과 기본적으로 일치합니다.

최한기는 《담천》을 나름대로 정리하여 《성기운화(星氣運化)》(1867)를 펴냈습니다. 이 책에서 그는 서양 천문학이 오랜 기간 동안 실제 관측해서 얻은 결과물이기에, 직접적 경험과 그 경험의 축적에 의한 원리 탐구라는 기학의 원칙과 맞다고 했습니다. 그리고 우주의 다른 사물과 마찬가지로 지구도 계속 운동 변화하고 있고, 또 모든 별들은 서로를 끌어 당기며 끊임없이 작용하고 운동하는데 이 역시 만물을 이루는 기가 끊임없이 운동 변화한다는 자신의 기학과 맞아 떨어진다고 했습니다.

당시에 소개된 서양 의학 역시 최한기가 자신의 기학을 증명하는 데에 중요하게 쓰였습니다. 우리가 익히 알고 있는 현대의 서양 의학은 해부학에 기초하고 있습니다. 해부학은 인체를 해부하여 인체의 골격, 근육, 장부 등을 살펴보고 그것들이 어떤 기능을 하는가를 밝히는 것입니다.

인체에 대한 해부는 고대부터 이루어져 왔지만 베살리우스(Vesalius, 1514~1564)의 《인체 해부학 대계》(1543)가 나온 이후에 체계적인 학문으로 성립되었습니다.

최한기는 해부학에 기반을 둔 서양 의학을 홉슨(B. Hobson,

▲ 베살리우스

1816~1873)의 한역서학서를 통해서 접하게 되었습니다. 홉슨은 정식으로 의학을 공부한 개신교 선교사로서, 상해(上海) 등에서 서양 의술을 통해 선교 활동을 한 사람입니다. 뿐만 아니라 《전체신론(全體新論)》(1851), 《박물신편(博物新編)》(1855), 《서의약론(西醫略論)》(1857), 《부영신설(婦嬰新說)》(1858), 《내과신설(內科新說)》(1858) 등 한역서학서를 편찬하여 서양 의학을 소개했습니다.

《전체신론》은 인간의 온몸과 각 부위에 대한 설명과 그림을 담고 있습니다. 한마디로 인체에 대한 서양의 의학 지식을 전반적으로 소개하고 있습니다. 《박물신편》은 서양 과학을 소개한 작은 백과사전 같은 책으로, 의학뿐 아니라 물리학, 화학, 광학 등에 대한 지식이 담겨 있습니다. 《서의약론》은 서양 의학에서의 진료법과 치료법을 주로 다루고 있고, 《부영신설》은 요즘의 산부인과와 소아과에 해당하는 서양 의학 지식을 소개하고 있습니다. 《내과신설》에는 서양 의학에서 바라보는 병의 근원과 치료법, 그리고 치료 약제들이 담겨 있습니다.

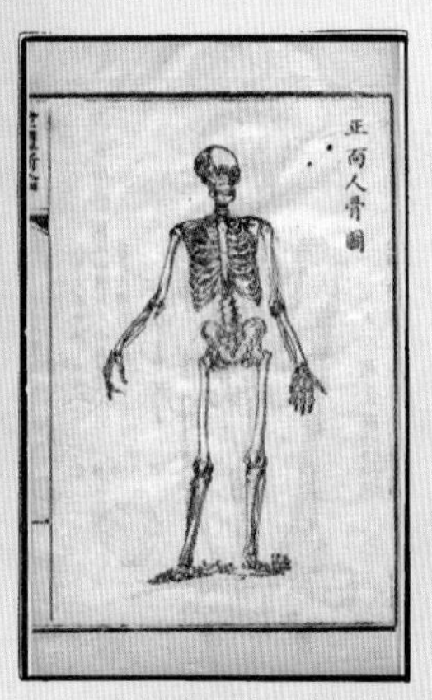

▲ 〈전체신론〉에 실린 인체해부도

최한기는 이 책들의 내용을 정리하여 《신기천험(身機踐驗)》(1866)을 만들고, 홉슨이 소개한 서양 의학을 통해서 자신의 기학을 증명했습니다. 이 과정에서 최한기는 우선 근대의 서양 의학이 구체적 경험의 산물이라는 점에 주목했습니다. 해부를 통해서 인체의 원리를 알아낸 것은, 경험을 통해서 우주의 원리를 이끌어내는 기학의 사상과 부합하는 것입니다. 인체가 끊임없이 운동 변화하고 있다는 내용은 기학에서 기로 이루어진 만물이 끊임없이 운동 변화한다고 한 것과 일치합

니다. 그리고 홉슨이 소개한 여러 가지 사례를 자신의 기학을 증명하는 데에 활용합니다. 사람이 시각을 잃어 눈으로 사물을 볼 수 없게 되자 이후에 손의 감각이 발달하여 손으로 점자책을 읽을 수 있게 된 사례로 기의 변동을 설명했습니다. 변화된 현실을 받아들이고 그것에 적응한다는 것이 바로 변통(變通)이기 때문입니다.

최한기가 홉슨의 이론을 무조건 수용한 것은 아닙니다. 선교사인 홉슨은 인체에 대해 설명하면서 이를 만든 존재로서의 창조주를 칭송했습니다. 홉슨은 《내과신설》에서 '사람이 억지로 호흡을 멈추려 해도 1, 2분을 버티기 힘드니, 조물주가 호흡을 그렇게 만든 것이기 때문이다.' 라며 조물주가 만든 사람의 호흡을 인간의 의지대로 멈출 수는 없다고 했습니다. 이 부분을 최한기는 "사람이 억지로 호흡을 멈추려 해도 1, 2분을 버티기 힘든 것은 (호흡이) 운화에 의해 이루어지는 것으로, 사람이 마음대로 할 수 있는 것이 아니기 때문이다."라고 고쳤습니다. 즉 종교적 존재인 조물주 대신에 기의 운화를 통해서 인간의 호흡을 설명하여, 경험에 입각한 지식은 수용하되 자신이 낭유학이라고 비판한 종교적 측면을 받아들이지 않은 것입니다.

이처럼 최한기는 당시의 서양 과학 기술을 받아들여 자신의 기학을 증명하는 수단으로 사용합니다. 하지만 구체적 경험을 통한 것은 수용하되 상상의 산물은 철저하게 배제하는 등, 비판적으로 수용했답니다.

최한기는 어떤 책들을 썼을까?

일제 강점기의 역사학자 최남선은 1000권에 달하는 최한기의 책들이 곳곳에 흩어져 있다고 안타까워했습니다. 옛날에 책 수를 헤아렸던 '권'이라는 단위가 지금의 양보다 훨씬 적다는 것을 감안하더라도, 최한기는 상당히 많은 양의 책을 남겼습니다.

최한기의 문집은 1971년 《명남루총서(明南樓叢書)》라는 이름으로 처음 간행되었습니다. 그 뒤 그동안 새로 발견된 책들을 보완하여 1985년에 《명남루전집(明南樓全集)》이, 2002년에는 《증보 명남루총서(增補 明南樓叢書)》가 출판되었습니다.

《증보 명남루총서》에 수록된 책들 중에서 대표적인 책은 《기학(氣學)》 이외에도 《신기통(神氣通)》(1836)과 《추측록(推測錄)》(1836), 《인정(人政)》(1860)을 꼽을 수 있습니다.

《신기통》에서 주로 다루는 것은 '신기', 즉 (뭐라 표현하기 힘든) 신묘한 기입니다. 최한기는 자신의 초기 사상에서 '신기'가 만물을 이루고 있다고 생각했습니다. 신기 중에서도 인간의 신기가 중요합니다. 인간의 신기는 눈, 코, 입, 귀, 손, 발 등 몸 곳곳에 퍼져 있습니다. 그래서 인간은 이 신기를 통해서 만물을 파악합니다. 즉 《신기통》에서는 인간 인식의 주체인 신기를 다루고 있는 것입니다.

▲《신기통》
사물에 대한 사고를 과학적인 방법으로 해야 한다는 것을 인간의 신체를 분석하여 비유한 책으로 9권 5책이다.

이에 비해서 《추측록(推測錄)》에서는 인간의 인식 과정을 다루고 있습니다. '추측'이란 미루어서 헤아린다는 것인데, 구체

적 사물을 경험하고 그 경험을 통해 얻은 자료를 미루어서(추) 그 사물의 원리를 헤아린다(측)는 의미입니다. 그리고 이 책에서 말하는 구체적 사물이란 기로 이루어진 사물입니다.

▲《인정》
1860년에 완성한 《명남루총서》권1~권25에 걸쳐 수록된 인사행정에 관한 이론서이다.

인간의 인식 주체와 인식 과정을 다룬 이 두 책은 최한기의 초기 사상을 보여주는 것인데, 나중에 《기측체의(氣測體義)》라는 제목의 책으로 합쳐졌습니다.

《인정(人政)》(1860)은 관리를 임용하는 인사(人事) 정책에 대한 책입니다. 관료가 될 사람들을 어떻게 헤아리고, 가르치고, 선발하여, 쓸 것인가에 대한 자신의 입장을 설명했습니다. 특히 관료가 될 사람을 선발할 때 그 사람의 움직임을 볼 것을 강조했습니다. 단순히 지식이 많고 적음을 떠나서 변화하는 상황에서 그 사람이 어떻게 대처하고 행동하는지를 파악할 것을 강조한 것입니다.

이외에도 수학책인 《습산진벌(習算津筏)》(1850), 임금을 교육시키는 관리에 대해 다룬 《강관론(講官論)》(1836), 농업책인 《농정회요(農政會要)》(1830년대), 서양 기구들을 설명한 《심기도설(心器圖說)》(1842), 세계지리지인 《지구전요(地球典要)》(1857), 천문수학서적인 《의상이수(儀象理數)》, 그의 시대관이 담긴 《소차류찬(疏箚類纂)》 등이 있습니다.

1000권에 달하는 최한기의 책은 아직 다 발견되지 않았습니다. 앞으로 또 어떤 책이 나타나 최한기의 새로운 학문 세계를 밝혀줄지 모릅니다.

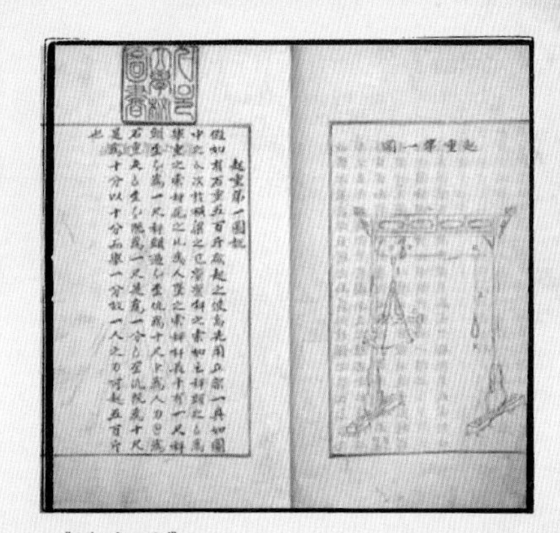

▲《심기도설》
중국에 수입된 서구의 기계와 문물을 소개하기 위해 쓴 책이다.

실학과 최한기

'실학(實學)'은 원래 거짓되거나 내용 없는 학문이 아니라 참되고 내용 있는 학문을 가리킵니다. 원래는 어떤 특정한 학파나 학문적 경향이 아니라 참된 학문을 가리키는 낱말이었습니다. 하지만 지금부터 말하고자 하는 '실학'은 고유의 의미가 아닌 조선 후기라는 일정 시기에 나타난 특수한 학문적 흐름을 가리킵니다.

▲ 이익
조선 후기 실학자로 실용적인 학문을 주장했다. 《성호사설》과 《곽우록》 등의 책이 있다.

실학이 나타난 배경에는 조선 후기의 사회 변동과 성리학을 들 수 있습니다. 성리학에 대해 비판적인 태도를 취하는 실학은 조선 후기의 사회 변동에 영향을 받아 생겨난 학문입니다. 일반적으로 경세치용(經世致用)파, 이용후생(利用厚生)파, 실사구시(實事求是)파로 분류합니다.

▲ 홍대용의 '혼천의'
천체의 운행과 위치를 측정하는 기구이다.

경세치용파는 토지나 행정 구역 등 제도 개혁에 주로 관심을 기울였습니다. 대표적인 학자는 이익(李瀷)으로 조선의 사회 제도의 전반적 개혁을 주장했습니다. 특히 과거 제도, 서자(양반인 아버지와 상민이거나 천민인 어머니 사이에서 태어난 아들)에 대한 차별, 노비의 신분 세습 등을 철폐하고, 토지 소유를 제한할 것 등을 주장했습니다.

이용후생파는 상업 발달이나 생산 기술 발전 등 기술적인 측면에 주로 관심을 가졌습니다. 이에 속하는 학자로는 홍대용(洪大容), 박지원(朴趾源) 등을 들 수 있는데, 이들은 서양의 문물을 받아들인 청나라를 돌아보고 온 뒤에 바다를 통해 외국과의 교역을 증진하여 백성들의 삶을 윤택하게 할 것을 주장했습니다.

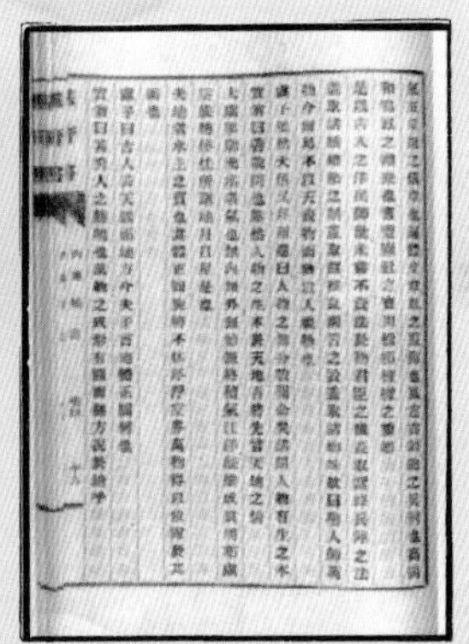

▲홍대용의 《의산문답》
1766년 60일 동안 중국 베이징에 다녀온 뒤 쓴 자연관 및 과학 사상서이다.

실사구시파는 경서나 비석 등에 대한 고증(考證)을 통해서 그 참된 의미를 찾는 것을 중시했습니다. 대표적인 학자인 김정희(金正喜)는 북한산의 진흥왕순수비를 연구해 그 비석이 진흥왕이 세운 비석임을 밝혀냈습니다. 당시에 그 비석은 무학대사가 세운 것이라고 알려져 있었습니다.

▲김정희
조선 후기의 이름난 서화가이며 문신으로 실사구시를 주장했다. 독특한 추사체를 탄생시켰다.

세 가지 파로 나뉘었다고 하여 경세치용파가 당시의 상업 발전이나, 학문적인 옳고 그름에 대해서 관심을 기울이지 않았던 것은 아닙니다. 그리고 이용후생파가 다른 두 파의 관심 분야에 무관심했던 것도 아니며, 실사구시파 역시 마찬가지입니다. 각각의 주된 관심 분야로만 국한지은 것이 아니기 때문에 이들을 '실학'이라는 큰 흐름으로 묶칠 수 있는 것입니다.

예컨대 정약용은 경세치용파의 이익을 존경하여 자신의 저서 《경세유표》에서 토지 제도 개혁 등 국가의 제도 개혁을 주장하며 이익의 뒤를 이으려 했습니다. 그런데 거기에서 멈추지 않고 상업을 농업과 대등하게 발전시켜야 한다고 주장하며 이용후생파로서의 모

▲ 정약용
서양식 축성법을 바탕으로 《기중가설》을 지었고, 거중기를 만들어 수원성 축조에 공을 세웠다.

습을 보이고, 또한 유교 경전에 대한 고증 작업을 하여 실사구시파의 모습도 보여 줍니다. 그래서 현대의 학자 중 어떤 이는 정약용을 경세치용파로, 다른 학자는 이용후생파로 분류합니다. 이렇게 정약용의 사상에는 두 파의 성격이 모두 담겨 있고 다른 실학자들에게도 이런 면이 종종 보입니다.

다른 듯 보이는 세 파의 학문에는 공통점이 있습니다. 우선 성리학에 대한 비판과 반대에서 나왔다는 점입니다. 이들은 성리학에 대해서 다음과 같이 비판했습니다.

첫째, 성리학에서 말하는 기본 원리인 이(理)가 옳은지 그른지를 판단할 수 없다는 것을 비판하고 있습니다. 즉, 성리학이라는 것은 구체적 사물에 대한 경험을 바탕으로 한 것이 아니고 인간이 상상해서 만들어낸 것이기 때문에 참인지 거짓인지를 알 수 없다는 것입니다.

둘째, 이가 변화하지 않음을 비판했습니다. 현실의 사물을 관찰해서 얻은 원리라면, 그 사물이 변화하면 그 원리도 함께 변화할 것입니다. 하지만 성리학의 이는 구체적 사물에서 나온 것이 아니기에 변화할 수가 없습니다. 성리학의 이는 인간 사회의 도덕률에도 기초가 되는데 이가 변하지 않기에 사회의 도덕률도 변하지 않는 것입

니다. 그래서 급변하는 조선 후기에 성리학을 숭상하던 조선 지배층의 사회에 대한 인식도 변화하지 않았고, 도덕률 역시 마찬가지여서 불합리한 것이 많았습니다. 당시 실학자들은 변화하는 사회에서 변화하지 않는 성리학을 비판한 것입니다.

그리고 또 하나의 공통점은 백성들의 삶에 실질적인 도움이 되는 학문을 추구했다는 것입니다. 당시의 지배층은 급변하는 사회에서 이전의 학문과 그에 기초한 도덕률만을 고집했고, 이를 핑계로 사적인 이익을 추구했기 때문에 백성들의 삶은 매우 고달팠습니다. 그런 백성의 삶을 조금이라도 나아지게 하려는 학자들의 마음이 여러 실학 사상에 담겨 있답니다.

이와 같이 실학자들의 경험에 의해 진리를 추구하는 자세, 변화에 대한 긍정적 자세, 백성들의 경제적 삶에 대한 관심은 최한기에게도 그대로 전해졌습니다. 이는 최한기의 추측론, 변통론, 통민운화 사상에 잘 나타나 있습니다. 사상뿐만 아니라 시기적으로도 최한기는 실학파의 마지막을 장식하는 학자라고 할 수 있습니다.

최한기 기학

구태환 글 | 이주한 그림

01 《기학》을 쓴 사람은 누구일까요?

① 공자 ② 맹자 ③ 이황
④ 최한기 ⑤ 조광조

02 《기학》의 중심 주제는 무엇일까요?

① 기(氣) ② 수(數) ③ 물(物)
④ 리(理) ⑤ 천(天)

03 《기학》과 가장 가까운 학문은 무엇일까요?

① 종교학 ② 수학 ③ 문학
④ 유학 ⑤ 도학

04 다음 설명에 해당하는 사람의 이름은 무엇일까요?

• 이탈리아의 예수회 선교사로 중국에 최초로 기독교를 선교한 인물이다.
• 서양 과학을 중국에 전하고, 이어서 우리나라에 들어오게 한 인물이다.
• 중국 사람에게 친숙하게 접근하기 위해 스스로 승복을 입기도 했다.

① 마테오 리치 ② 아메리고 베스푸치
③ 벤저민 프랭클린 ④ 에이브라함 링컨
⑤ 레오나르도 다 빈치

05 최한기가 《기학》에서 궁극적으로 말하고자 했던 것은 무엇일까요?

① 참된 학문 ② 도인이 되는 방법
③ 천국으로 가는 방법 ④ 우주의 생성 원리
⑤ 불로장생하는 길

06 다음은 '낭유학'에 대한 설명입니다. 낭유학에 해당하지 않는 것을 고르세요.

백성들에게 해를 끼치는 학문도 거짓된 학문으로 보아서 낭유학이라고 한다. '낭유'란 강아지풀 또는 곡식이 자라는 데 방해가 되는 잡초를 말하며, '낭유학'은 화나 복, 재앙이나 상서로움을 말하여 해롭기만 하고 보탬이 되지 않는 학문을 이른다.

① 불교 ② 이슬람교 ③ 기독교 ④ 힌두교 ⑤ 실학

07 다음 괄호 안에 공통으로 들어갈 알맞은 말은 무엇일까요?

누군가 그렇게 하도록 시키지 않아도 스스로 그렇게 하는 것, 저절로 그렇게 되는 것을 우리는 ( )(이)라고 한다. ( )이란(은) '스스로, 또는 저절로'를 뜻하는 글자와 '그렇게 되다, 그러하다.' 라는 의미를 갖는 글자가 합쳐진 것이다.

---

06 ⑤ : 최한기는 종교를 일종의 학문으로 보았으며, 종교는 거짓된 학문이라는 생각을 했습니다.
07 자연 : 자연을 한자로 쓰면 '自然'입니다. 이는 '스스로(저절로) 그렇게 되다(그러하다).'라는 뜻을 가집니다. 08 백성들에게 유용한지 아닌지 하는 점 : 최한기는 사물에 대한 구체적 경험이란 '나와 우주를 이루고 있는 기에 대한 구체적 경험에서 출발하는 것'이라고 했습니다.
09 활동운화(活動運化) : '활'은 '생생한 기운'으로, '동'은 '항상 움직임'으로, '운'은 '두루 운행함'으로, '화'란 '크게 변화함'으로 해석할 수 있습니다. 최한기는 '운화'라는 용어로 사용했습니다.
10 통민운화는 '우주의 변화에 발맞춰서 인간 사회를 운영하는 것'을 말합니다. : 최한기는 우주의 변화, 그리고 우주에 대한 지식의 변화는 우리 삶에 많은 영향을 끼친다고 생각했습니다. 그래서 우주의 변화, 그리고 지식의 변화에 관심을 기울여야 하고, 거기에서 더 나아가 그 변화에 맞춰서 우리 사회의 운영 원리도 변화시켜야 한다고 주장했습니다.

08 최한기는 참된 학문과 거짓된 학문을 나누는 기준을 두 가지 들었는데, 하나는 '사물에 대한 구체적인 경험'이고, 나머지 하나는 무엇일까요?

09 최한기가 기의 운동과 변화를 설명하기 위해 사용했던 단어로, 《기학》의 핵심 내용 중 하나인 네 글자로 된 이 단어는 무엇일까요?

정답

01 ④ : 최한기(1803~1877)는 조선 후기의 실학자, 과학사상가입니다. 근대적 합리주의와 개화사상을 싹트게 했습니다.

02 ① : 최한기는 학문의 기초를 '기'에 두었는데, 최한기가 말하는 기란, '만물을 이루고 있고, 언제나 운행하면서 변화하는 것'입니다.

03 ④ : 최한기가 스스로 말했듯이 기학은 유학의 일종입니다. 그래서 최한기를 조선 후기의 실학자라고 합니다.

04 ① : 마테오 리치(1552~1610)의 중국식 이름은 이마두였습니다. 그가 지은 《천주실의》는 우리나라의 천주교 성립에 결정적인 영향을 끼쳤습니다.

05 ① : 최한기는 참된 학문과 대조되는 학문을 거짓된 학문이라고 했고, 대표적으로 췌마학이라는 학문을 들었습니다. 이것은 제멋대로 상상하여 만들어 낸 학문을 말하며, 여기에서 췌마는 제멋대로 상상한다는 의미입니다.

10 최한기는 기의 운동 변화를 설명하는 말을 운화라고 했습니다. 그리고 운화에는 대기운화, 통민운화, 일신운화 세 가지가 있다고 했는데, 이 중에서 통민운화가 의미하는 것을 간단히 설명해 보세요.

____

____

____

____

____